PATCHWORK EN FÊTE

à mes enfants, Julien, Alice et Pierre

Patchwork en Fête

Hélène Chireux-Chalendard

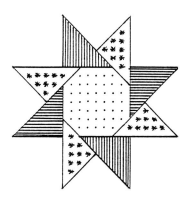

LE TEMPS APPRIVOISÉ
18 rue de Condé
75006 Paris

Merci à Monique Bonnal pour les photographies
des 24 motifs du calendrier de l'Avent.

Merci à Francis Chireux, mon mari,
pour les photographies des cartes de vœux
et celles des ouvrages en tissu.

Merci à Claude Favre, ma sœur,
pour la frappe des documents.

Les photos de couverture, des pages de garde et des pages 36, 38, 107, 112 et 133 sont de Christine Fleurent.

© 1994, Pierre Zech Éditeur. Paris
Dépôt légal: Avril 1998
Imprimé en Espagne
ISBN 2-283-58181-8

L'exposition "quilts"
présentée en 1973 à Paris, au musée
des Arts décoratifs, a été le premier
déclic de cet amour fou du patchwork
alors que j'étais étudiante.

L'obtention du CAPES en 1974 m'a permis
d'être professeur de travaux manuels éducatifs
en lycées et collèges.

Cette passion dévorante que représente cet art dans la recherche
des couleurs, la composition, la rigueur dans l'exécution, les effets
de surpiquage m'a complètement envahie et a rejailli ensuite
sur mes élèves, mes collègues, mes amies, ma famille qui sont
devenus enthousiastes et avides d'apprendre à mon contact.

J'ai consacré de nombreuses heures à enseigner
et pratiquer le patchwork.

Parmi mes quilts, grands ou petits,
j'en ai retenu un qui est à la base
de toute pédagogie et peut servir
de tremplin à toute autre création :
un "sampler" appelé
"calendrier de l'Avent".

Patchwork en fête est un guide du savoir-faire qui apporte aide et explications. Il permet de sauter les obstacles d'assemblage, montage et matelassage.

Tous les éléments géométriques (triangles, trapèzes, rectangles, carrés...) qui composent un motif, sont dessinés pour s'assembler parfaitement en une unité plus grande :
- un carré de 10cm de côté pour le "calendrier de l'Avent",
- un carré de 9cm de côté pour les cartes de vœux.

Chaque carré ou bloc, dessiné grandeur réelle, est analysé pour trouver le ou les gabarits nécessaires à la reconstitution d'un motif.

Ces carrés reproduisent des motifs très populaires et traditionnels qui racontent des événements historiques ou familiers.
Grâce aux jeux des couleurs, de leurs valeurs, de la diversité des étoffes, on peut obtenir, à partir d'un même motif, des représentations différentes et plus personnelles.

La géométrie intérieure de chaque bloc varie d'un motif à l'autre : mais l'unité de l'ensemble du patchwork est donnée par l'harmonie des rapports colorés, avec une même dominante dans chaque carré. L'équilibre de la composition est apporté par le cloisonnement des bandes et entre-deux.

La perfection dans la réalisation d'un patchwork est atteinte si vous suivez les quelques "points clés" du chapitre intitulé : "un peu de technique", le patchwork étant une technique qui ne supporte pas l'à-peu-près. Des règles sont à respecter comme la méthode de tracé, coupe, assemblage...

Dans ce livre de patchwork traditionnel, toutes les coutures proposées sont faites entièrement à la main : elles apportent plus de précision sur des petits tracés que celles faites à la machine.

Tous les morceaux de tissus sont assemblés les uns aux autres (technique du piécé) par des petits points devant réguliers, faits sur l'envers du textile, alors que pour la technique du matelassage, ces mêmes petits points devant sont faits sur l'endroit du tissu.

Les techniques de base vues dans ce répertoire de motifs, appelé "sampler", doivent être bien comprises et assimilées, pour les maîtriser.
Faire ses gammes est un exercice nécessaire avant d'aller plus loin dans la créativité.

Toute débutante peut se familiariser avec cet art textile que représente le patchwork, en commençant par la réalisation des cartes de vœux. Puis le plaisir d'assembler des motifs géométriques, de jouer avec les couleurs, l'entraînera vers des ouvrages plus importants comme le "calendrier de l'Avent" ou autres suggestions de création proposées en fin de livre.

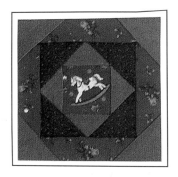

PATCHWORK EN FÊTE

UN PEU DE TECHNIQUE

 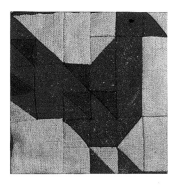  

APPLICATIONS

UN PEU DE TECHNIQUE

LE MATÉRIEL

1- petit matériel :

- un crayon HB ou un critérium à pointe fine
- une gomme blanche
- une règle transparente de 40cm
- des feuilles de Bristol à carreaux 5 sur 5mm
- du papier calque
- du carton (3mm d'épaisseur)
- du papier de verre fin :
  . pour les gabarits
  . pour la plaque de carton "antidérapante"
- des ciseaux à papier
- des ciseaux pour le tissu
- un dé à coudre
- des épingles extra-fines pour ne pas marquer le tissu
- des aiguilles mi-longues n○7 à 10
- des aiguilles à quilter, courtes
- du fil de coton n○40 pour les coutures au point devant
- du fil à quilter pour le matelassage :
  . il glisse facilement (il est enduit de cire)
  . il ne fait pas de nœud
- un fer à repasser

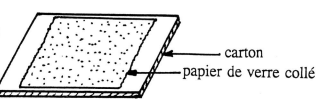

carton
papier de verre collé

2- des tissus en coton fin (uni, petites impressions, rayés, à pois, Vichy...)
  . les laver pour s'assurer qu'ils ne dégorgent pas
    et ne rétrécissent pas.
  . les repasser pour obtenir une surface lisse.

3- du molleton synthétique ou de coton

LES GABARITS

Le gabarit

a les mêmes dimensions que le morceau terminé et sert de patron.
Il permet de tracer, sur l'envers du tissu, l'emplacement exact de la ligne de couture des morceaux à assembler.

Tous les gabarits, dans ce livre, sont en grandeur réelle = échelle 1.

Les formes les plus utilisées sont le carré, le rectangle, le triangle, le losange, l'hexagone, l'octogone ...

Méthode

- **Tracer** sur *une feuille de bristol quadrillé* le gabarit, aux dimensions exactes de la forme géométrique choisie.

- **Indiquer** :
> - au feutre rouge, l'emplacement du droit fil.
> - au feutre noir, le nombre de morceaux de tissu à découper, leur valeur colorée (claire, moyenne ou foncée).

- **Coller** sur cette face portant les renseignements ci-dessus, *un rhodoïd transparent* adhésif.
Sur l'autre face, coller du *papier de verre 00* : le tissu ne glissera pas lors du tracé du contour du gabarit.

- **Couper** au cutter les 3 épaisseurs de matériaux.

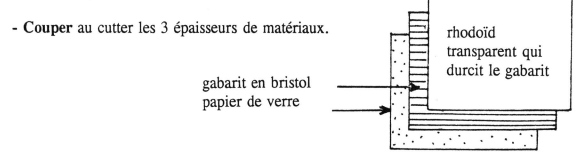

gabarit en bristol
papier de verre

rhodoïd
transparent qui
durcit le gabarit

LE DROIT-FIL

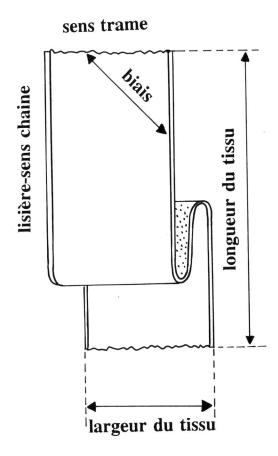

sens trame

biais

lisière-sens chaîne

longueur du tissu

largeur du tissu

Un tissu est composé :

- **des fils de chaîne** parallèles à la lisière.

- **des fils de trame** perpendiculaires à la lisière : ces derniers constituent la largeur du tissu.

- **le biais** est le 3ème sens du tissu : il se déforme énormément.

TRACÉ ET COUPE DU TISSU

Tracé

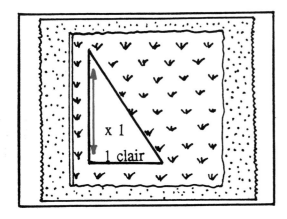

Poser l'endroit du tissu sur la plaque antidérapante.
Placer le gabarit sur l'envers du tissu, en respectant le droit-fil.

Tracer avec précision un trait fin au crayon, autour du gabarit.
Ce trait représentera la ligne de couture.

Tracer un 2ème trait à 5mm du premier : c'est la ligne de coupe.

Enlever le gabarit.

Coupe du tissu

Couper sur la ligne en pointillé.

Supprimer les pointes des triangles :
(à 5mm des angles tracés).

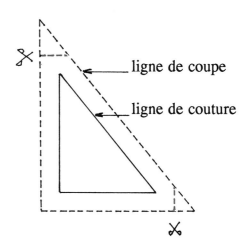

ligne de coupe

ligne de couture

LES POINTS DE COUTURE

1. le point de bâti

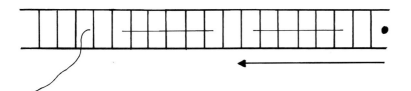

est utilisé pour maintenir provisoirement les trois épaisseurs de tissu lors du matelassage.

2. le point devant

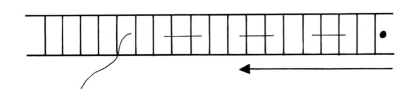

est utilisé pour toutes les coutures d'assemblage.

3. le point arrière

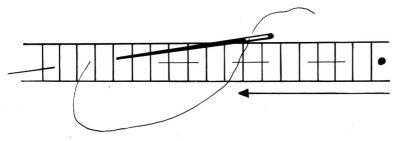

plus solide que le point devant : est utilisé en début et fin de couture et parfois en alternance avec le point devant pour consolider une ligne de couture longue.

4. le point d'ourlet

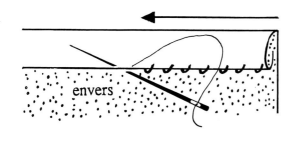

envers

est utilisé pour rabattre un biais ou un bord droit.

LES MÉTHODES D'ASSEMBLAGE

- séquence d'assemblage

- trois principes à respecter

- quelques exemples de droit-fil

- manière de "coucher" les réserves
  sur l'envers   des blocs terminés

- assemblage de deux courbes

LES MÉTHODES D'ASSEMBLAGE

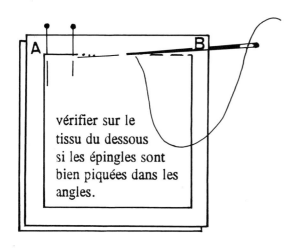

vérifier sur le tissu du dessous si les épingles sont bien piquées dans les angles.

deux morceaux de tissu

- **superposer** les 2 tissus bord à bord, endroit contre endroit.

- **épingler** les extrémités en A et B, puis le milieu.

- avec une aiguillée de fil assorti à la teinte du tissu, **commencer à coudre** en faisant dans l'angle 2 petits points arrière ; puis suivre le tracé de crayon à petits points devant.
Faire tous les 2cm un point arrière pour consolider la couture.
Remarque : ne coudre qu'entre A et B.

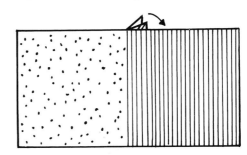

- **sur l'endroit :**
    écraser à l'ongle la couture.

- **sur l'envers :**
    rabattre les réserves de couture sur le tissu le plus foncé, quand c'est possible.

trois ou plusieurs morceaux de tissu

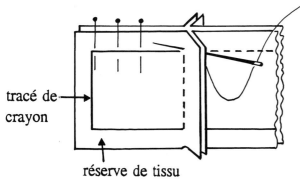

tracé de crayon

réserve de tissu

- faire coïncider :
    . les lignes de couture entre elles.
    . les angles des carrés entre eux.

- l'aiguille passe au travers des réserves qui restent libres.

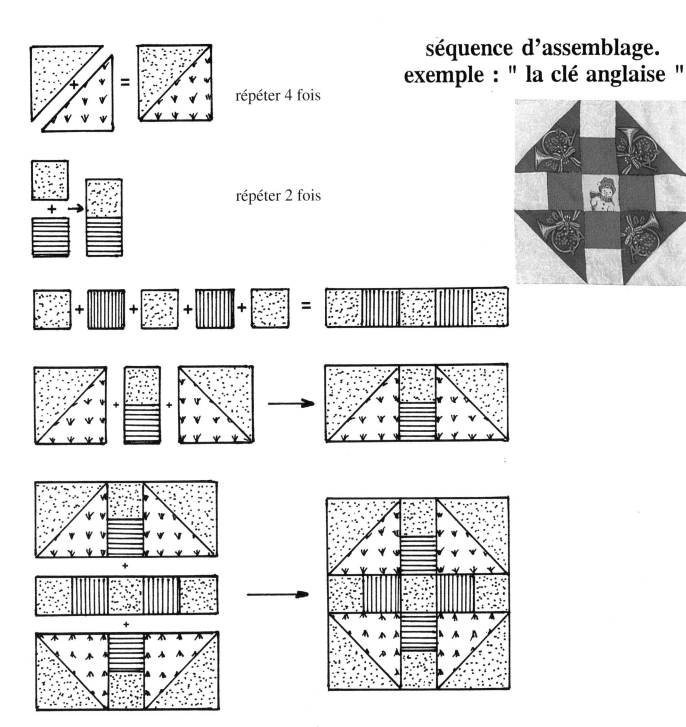

séquence d'assemblage.
exemple : " la clé anglaise "

répéter 4 fois

répéter 2 fois

trois principes à respecter

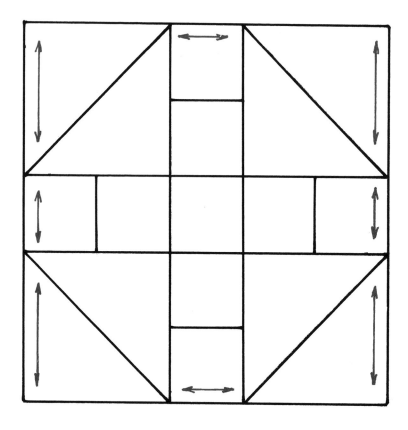

pour éliminer des déformations éventuelles, lors du montage des blocs :

1- tous les morceaux de tissu qui forment le bord d'un bloc doivent être en droit-fil.

Le droit-fil est indiqué par une flèche sur tous les gabarits.

2- couper les lisières de vos tissus :

a- le tissage étant plus serré sur la lisière, le tissu va se détendre davantage vers le centre.
b- le nom du fabricant, imprimé en lisière, risque d'apparaître sur l'endroit de vos motifs.

3- éviter, quand c'est possible, d'avoir à coudre deux bords de tissu en plein biais :

un bon assemblage doit superposer | le bord biais | le bord droit-fil

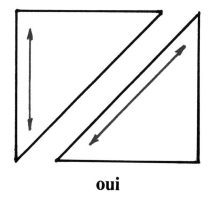

oui

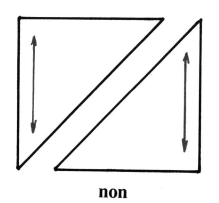

non

24

quelques exemples de droit-fil

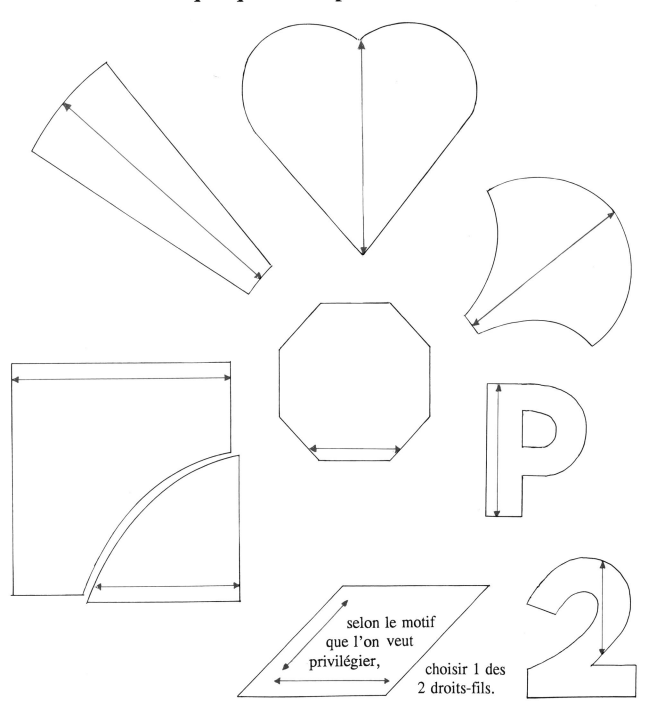

selon le motif
que l'on veut
privilégier,
choisir 1 des
2 droits-fils.

manière de " coucher " les réserves de couture
sur l'envers des blocs terminés.

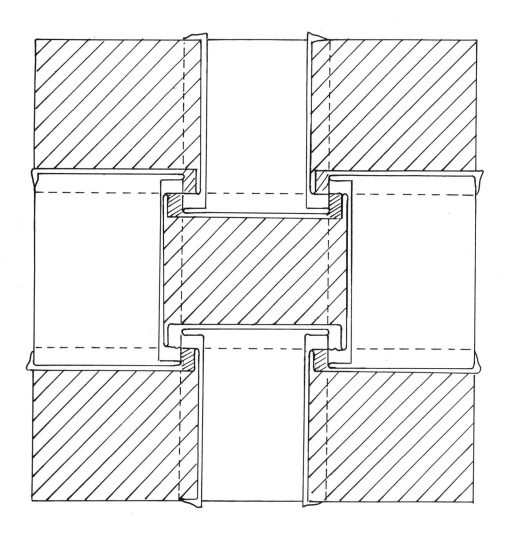

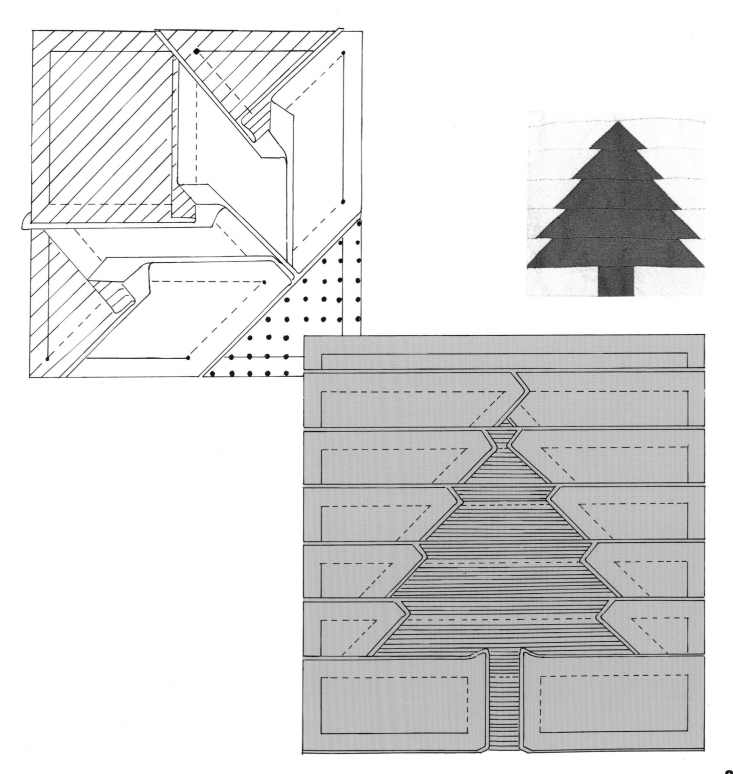

assemblage de deux courbes

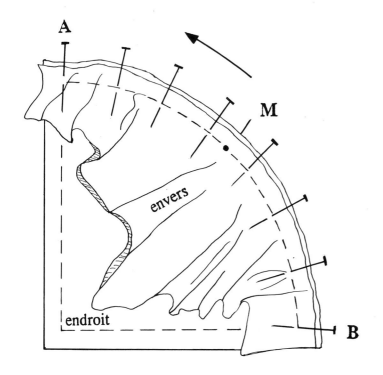

1- Marquer sur l'envers des deux courbes à réunir, les repères indiqués sur les gabarits.

2- Placer les tissus endroit contre endroit et bord à bord, la courbe concave sur la courbe convexe.

3- Bien faire correspondre les repères du dessus avec ceux du dessous.

4- Epingler sur les repères, les têtes d'épingles étant placées perpendiculairement à la courbe.

---▸ Commencer à coudre à petits points devant, à partir du milieu M et progresser vers l'extérieur en A. Enlever les épingles au fur et à mesure que les deux tissus sont assemblés.
Terminer la deuxième moitié de la couture en partant de M vers B.

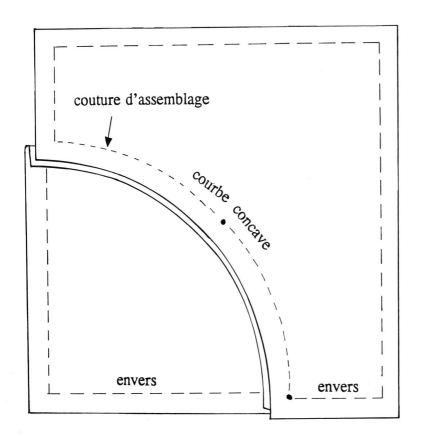

couture d'assemblage

courbe concave

envers

envers

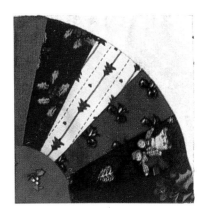

5- Remettre le travail à l'endroit.

6- Ecraser délicatement à l'ongle la couture d'assemblage car elle est en plein biais.
(On risque de déformer le tissu).

TIGE OU ANSE À POSER EN APPLIQUÉ

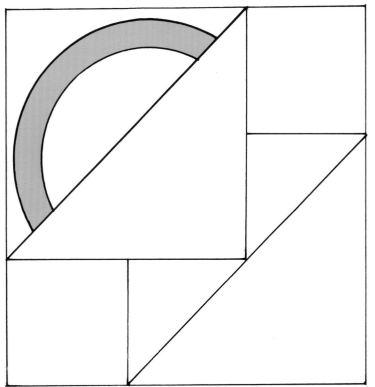

Couleur du fil :
Prendre celle du tissu à appliquer

Largeur du biais :
- si la tige terminée a une largeur de 5mm, faire un biais de 10mm de large.

- si l'anse terminée fait 7mm de large, prendre un biais de 15mm de large.

Matière :
Choisir un biais de coton.

- Dessiner au crayon HB, sur l'endroit du triangle rectangle, l'emplacement de l'anse.

- Prolonger le tracé sur la réserve de tissu car les deux extrémités du biais doivent être maintenues et cachées lors du montage des deux triangles clair et foncé.

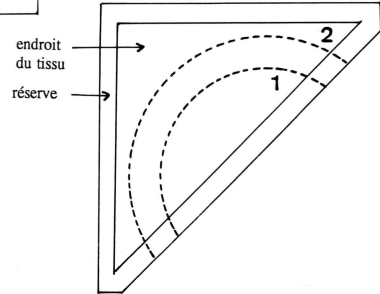

endroit du tissu

réserve

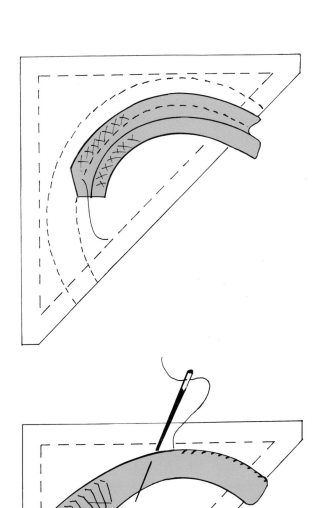

La pose du biais se fait en deux temps :
1- sur la partie concave de la courbe.
2- sur la partie convexe ensuite.

1- Le biais est cousu à petits points devant dans la partie concave de la courbe.

Ne "tiraillez" pas le biais. Posez-le, comme il se présente.

2- Rabattre le bord libre du biais sur la courbe convexe, à petits points glissés, aussi invisibles que possible.

POSE D'UN PASSEPOIL

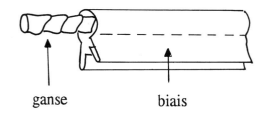

ganse   biais

Dans un biais plié, envers contre envers et bord à bord, fixer une ganse ronde.

Au ras du volume fait par la ganse, coudre à points devant.

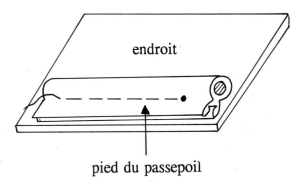

endroit

pied du passepoil

Commencer au milieu d'un côté.

1- Poser le passepoil sur le premier morceau de tissu, endroit contre endroit et bord à bord ; le pied du passepoil est tourné vers l'extérieur.

- Piquer l'ensemble au niveau de la future ligne de coupe.
Laisser 1cm de passepoil libre, à droite du nœud, afin de faciliter le raccord en fin de travail.

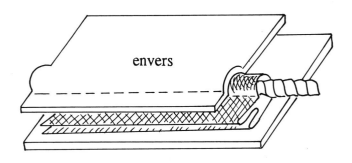

envers

2- Placer ensuite le deuxième morceau de tissu sur le premier, endroit contre endroit et bord à bord.

- Piquer à travers toutes les épaisseurs.

La première piqûre et la deuxième piqûre se superposent.

Prévoir un passepoil plus long que le périmètre du carré à encadrer (environ 2,5cm de plus).

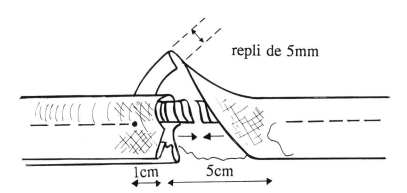

repli de 5mm

1cm   5cm

- Les deux extrémités du passepoil doivent rester "flottantes" provisoirement : l'une sur 1cm, l'autre sur 5cm.
- Replier sur 5mm une extrémité du biais;
- Recouper, sous ce biais, un peu de ganse pour mettre en contact les deux bouts.
- Faire chevaucher le raccord sur 1cm.
- Le maintenir par quelques points glissés.

3- Terminer la couture sur le pourtour.
- Retourner les deux tissus.
- Le passepoil est maintenant à l'extérieur.

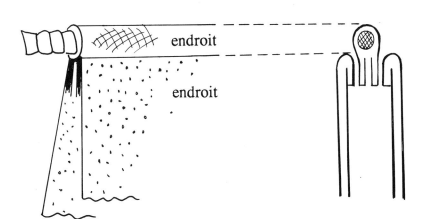

endroit

endroit

MATELASSAGE

- **Dessiner** au crayon fin le motif du matelassage sur le tissu représentant le dessus.
- **Superposer** les trois couches de matière :
  . dessus
  . molleton
  . doublure de coton.
- Molleton et doublure doivent dépasser de 3cm.

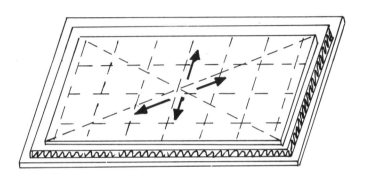

- Epingler le pourtour.
- **Bâtir à grands points** les 3 épaisseurs en partant du centre vers les coins et les bords extérieurs.
- S'assurer qu'il n'y a pas de plis dessus et dessous.

- **Matelasser** :
Piquer l'aiguille à la verticale dans les trois épaisseurs et tirer fermement sur le fil pour que le nœud traverse le tissu de dessous et soit caché dans l'épaisseur du molleton.

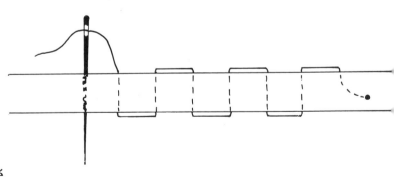

Coudre à petits points devant sur le tracé de crayon.

APPLICATIONS

1. **Le calendrier de l'Avent**

2. **Les cartes de vœux**

3. **Suggestions d'ouvrages**

le calendrier de l'Avent
(83cm x 59cm)

1. le calendrier de l'Avent

9 décembre

Noël approche !

Les 24 motifs du quilt

1. la petite école
2. la maison en bois
3. la maison
4. le crépuscule
5. le carré dans le carré
6. deux étoiles qui tournent
7. vol d'oiseaux
8. "X" double
9. la tulipe
10. l'étoile du soir
11. l'éventail
12. jeu de cubes
13. les quatre coins
14. pointes de flèches indiennes
15. nœud papillon
16. les sillons
17. l'oiseau
18. l'étoile à huit branches
19. le sapin
20. les neuf carrés
21. la cabane de rondins
22. la clé anglaise
23. image
24. l'appliqué-inversé

1. LA PETITE ÉCOLE
little school house

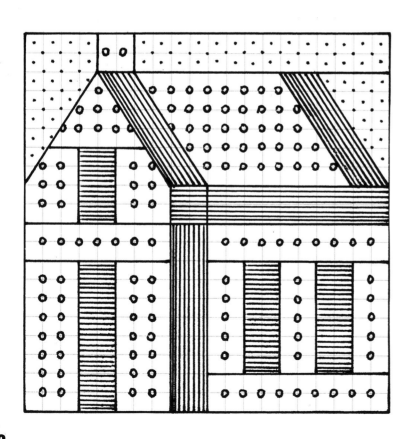

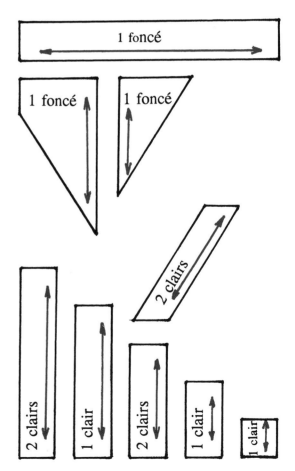

1 foncé

1 foncé

1 foncé

2 clairs

2 clairs

1 clair

2 clairs

1 clair

1 clair

40

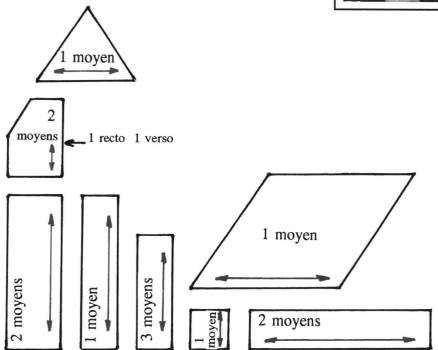

1 moyen

2 moyens

1 recto 1 verso

2 moyens

1 moyen

3 moyens

1 moyen

1 moyen

2 moyens

le toit

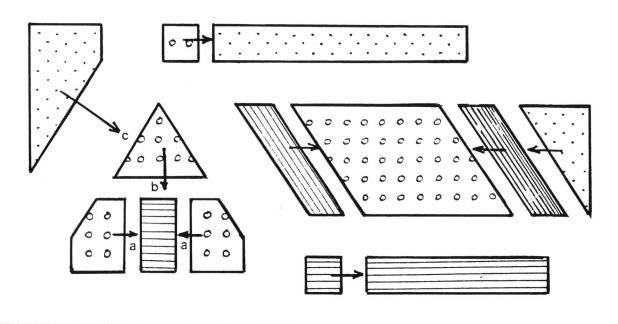

la façade

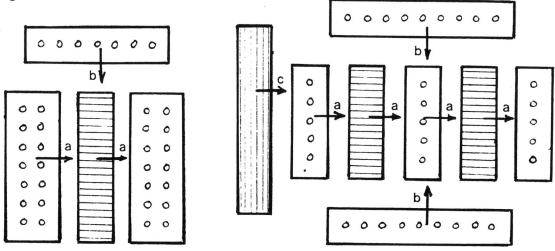

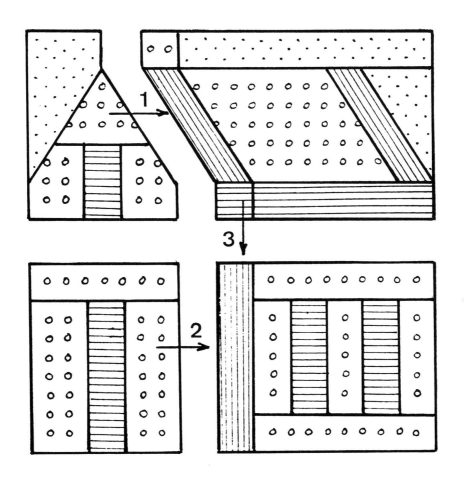

2. LA MAISON EN BOIS
log house

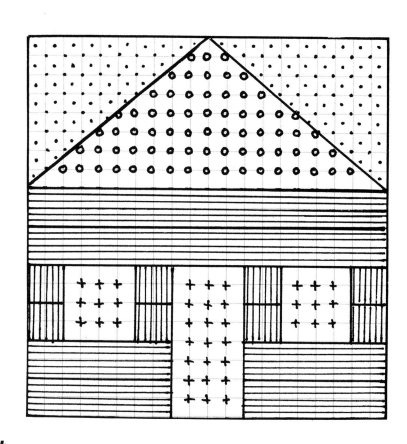

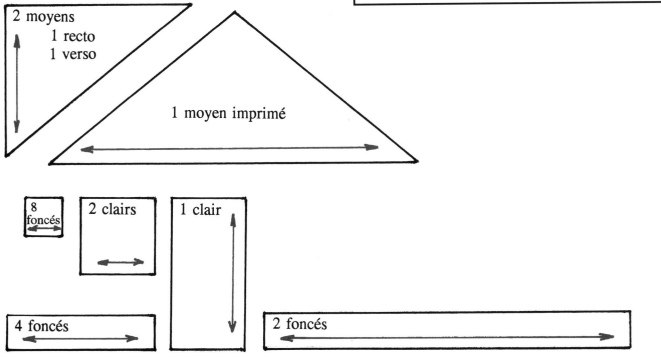

2 moyens
 1 recto
 1 verso

1 moyen imprimé

8 foncés

2 clairs

1 clair

4 foncés

2 foncés

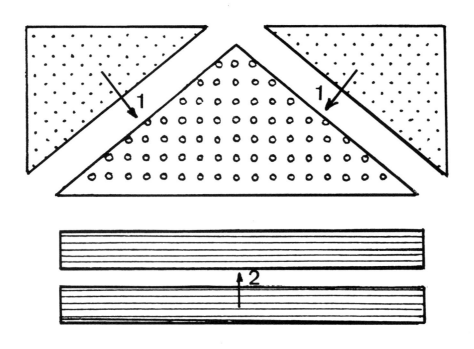

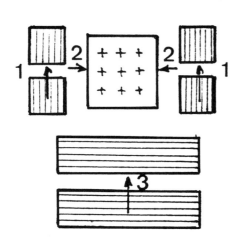

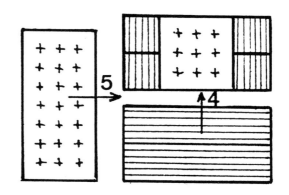

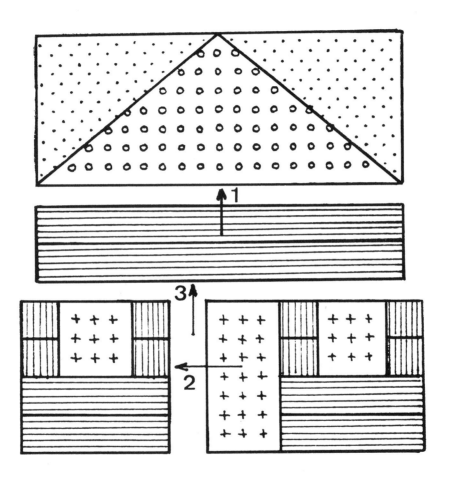

3. LA MAISON
the house

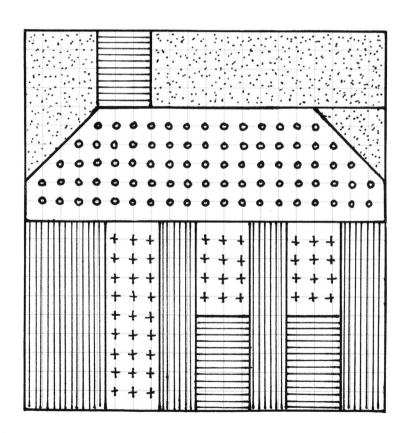

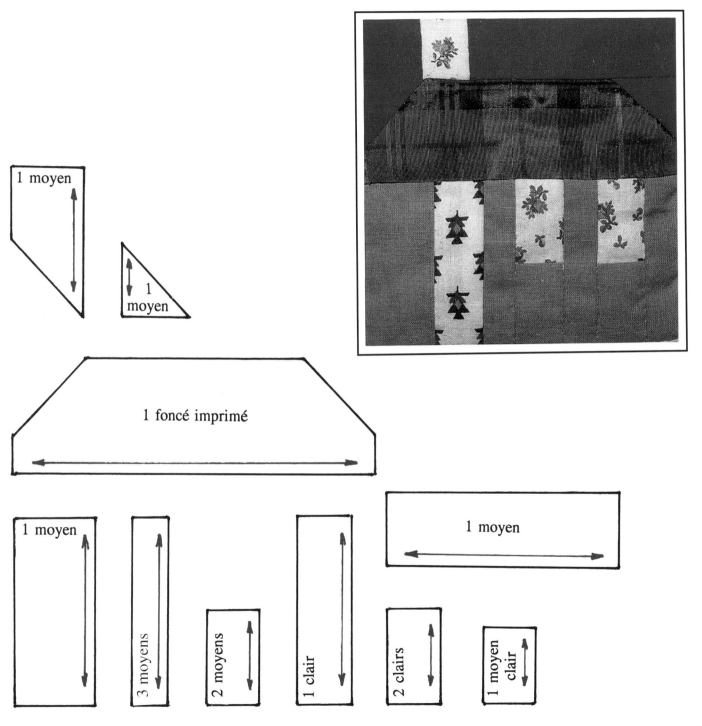

1 moyen

1 moyen

1 foncé imprimé

1 moyen

3 moyens

2 moyens

1 clair

2 clairs

1 moyen clair

1 moyen

49

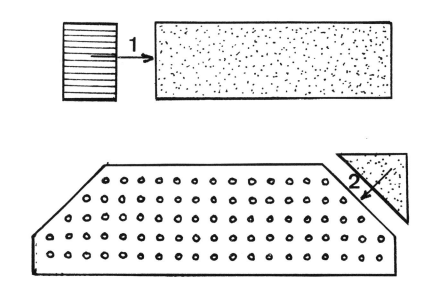

Pour incruster le trapèze,
suivre le sens des flèches en pointillé.

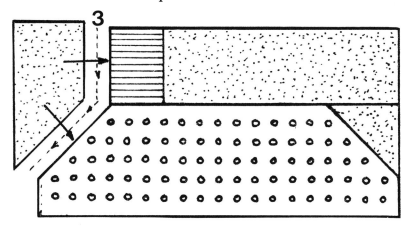

Attention : tous les gabarits sont sans réserve de couture.

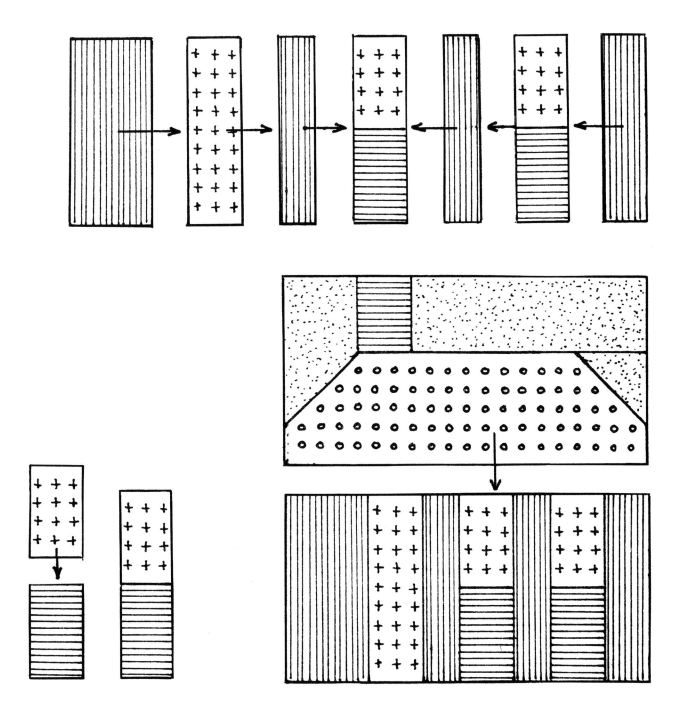

4. LE CRÉPUSCULE
twilight

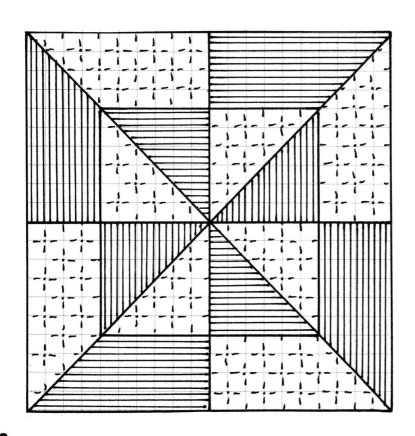

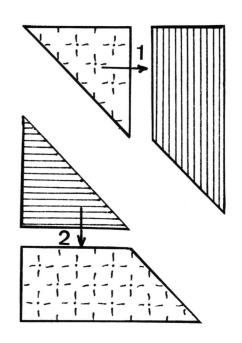

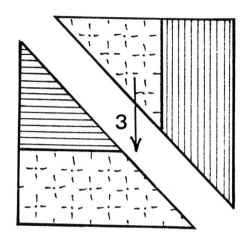

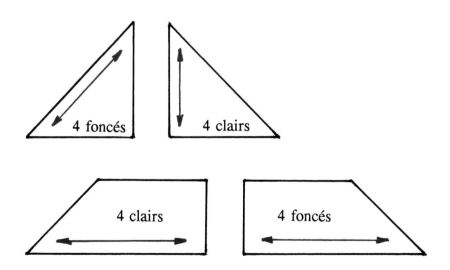

4 foncés

4 clairs

4 clairs

4 foncés

5. LE CARRÉ DANS LE CARRÉ
diamond in square

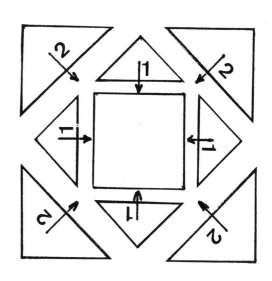

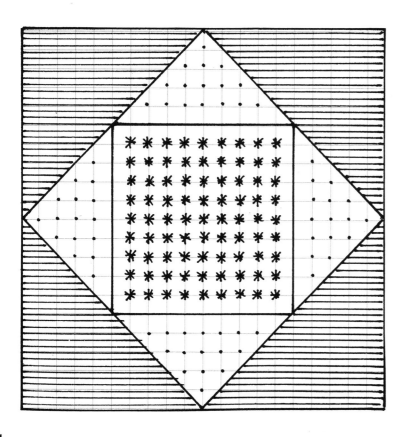

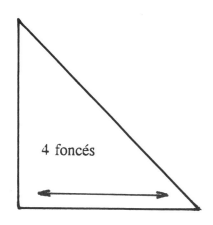

4 foncés

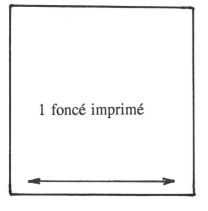

1 foncé imprimé

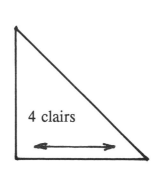

4 clairs

6. DEUX ÉTOILES QUI TOURNENT
twisting stars

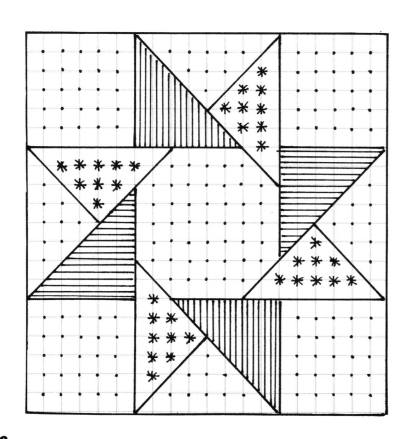

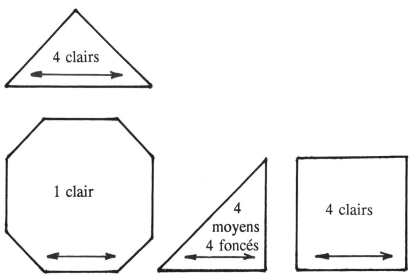

4 clairs

1 clair

4
moyens
4 foncés

4 clairs

PRÉPARATION

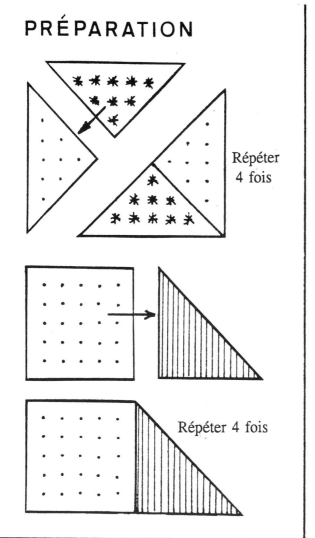

Répéter
4 fois

Répéter 4 fois

MONTAGE

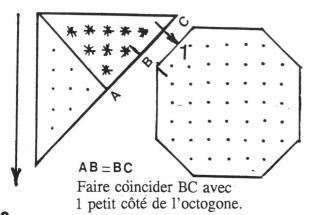

AB = BC
Faire coïncider BC avec
1 petit côté de l'octogone.

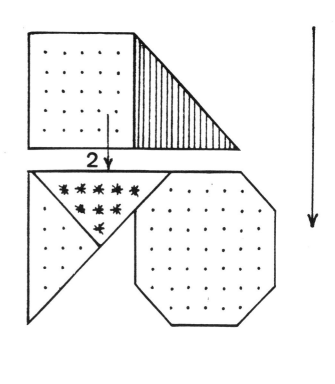

2

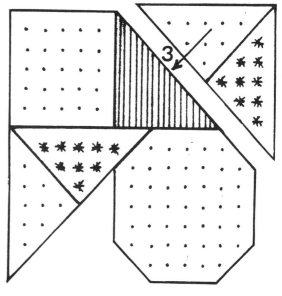

3

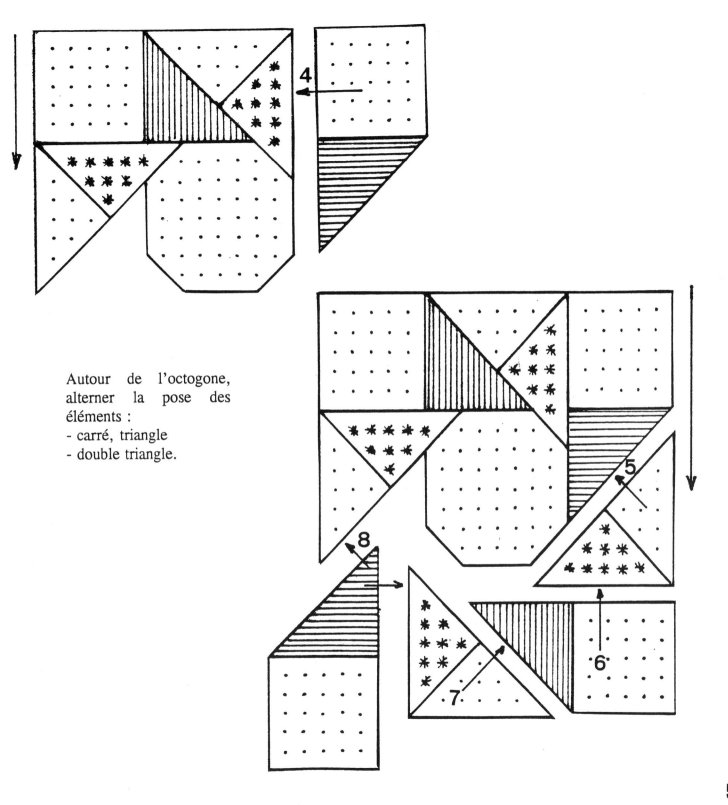

Autour de l'octogone,
alterner la pose des
éléments :
- carré, triangle
- double triangle.

7. VOL D'OISEAUX
birds in air

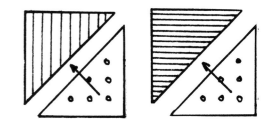

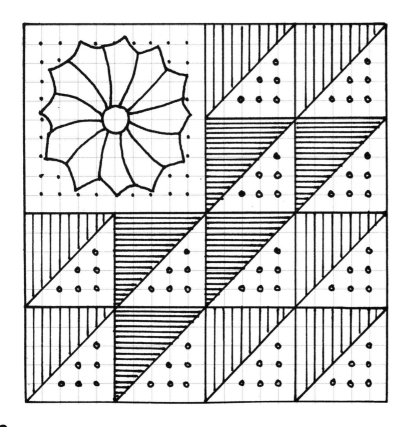

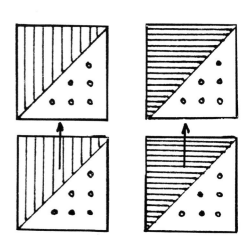

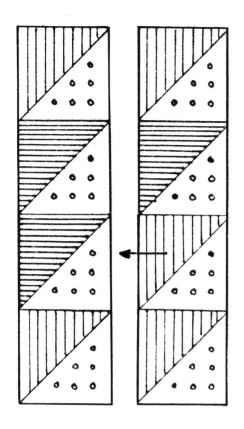

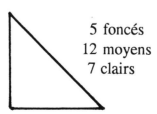

1 moyen

5 foncés
12 moyens
7 clairs

surpiquer la fleur
à petits points devant

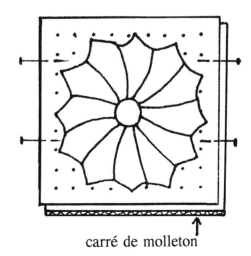

carré de molleton

8. "X" DOUBLE
double "X"

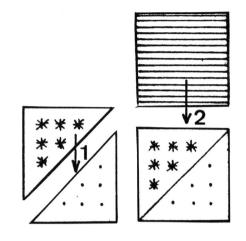

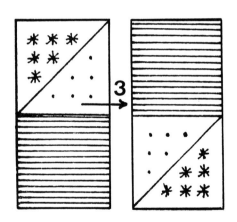

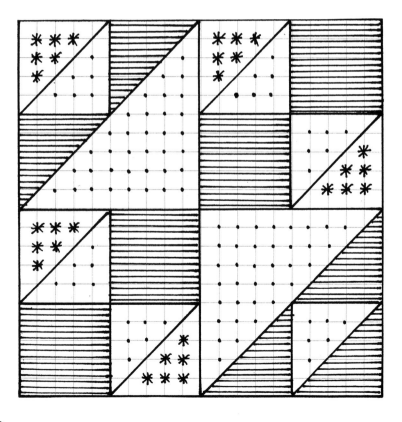

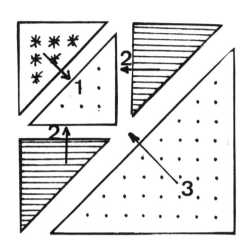

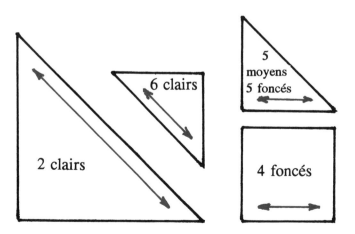

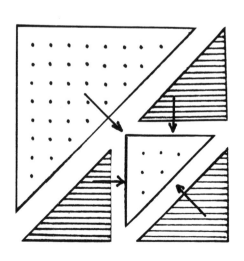

9. LA TULIPE
tulip

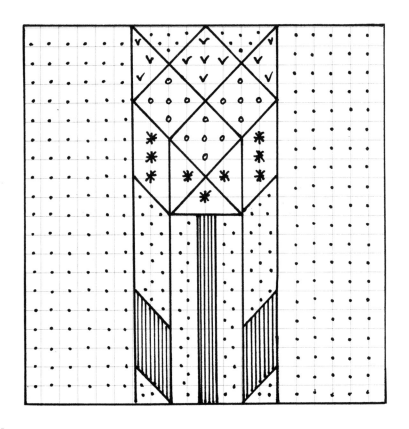

application de la tige

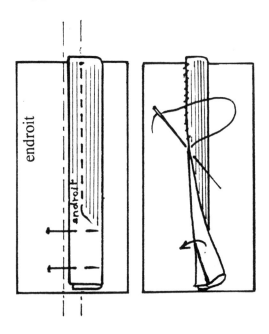

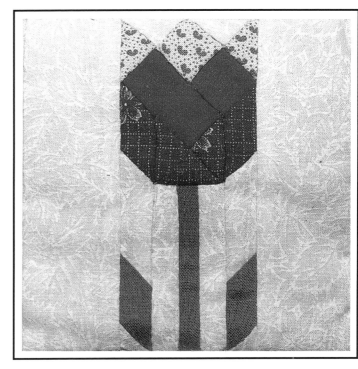

2 moyens

3 foncés unis

1 moyen

2 clairs

3 imprimés foncés
2 clairs

1 clair

1 foncé uni (en appliqué)

2 foncés unis (recto-verso)

2 imprimés (recto verso)

2 clairs

1 recto
1 verso

2 clairs

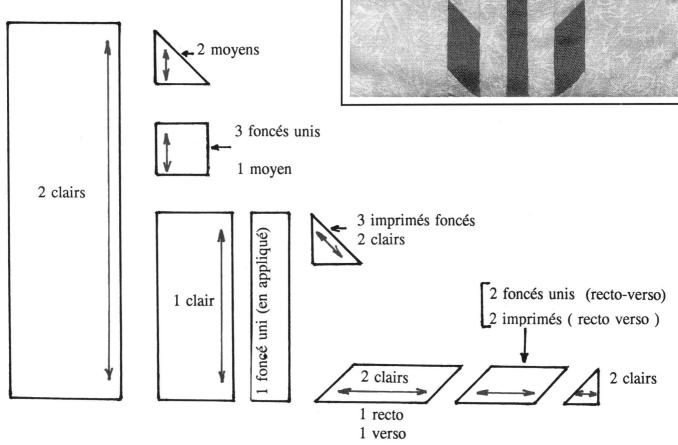

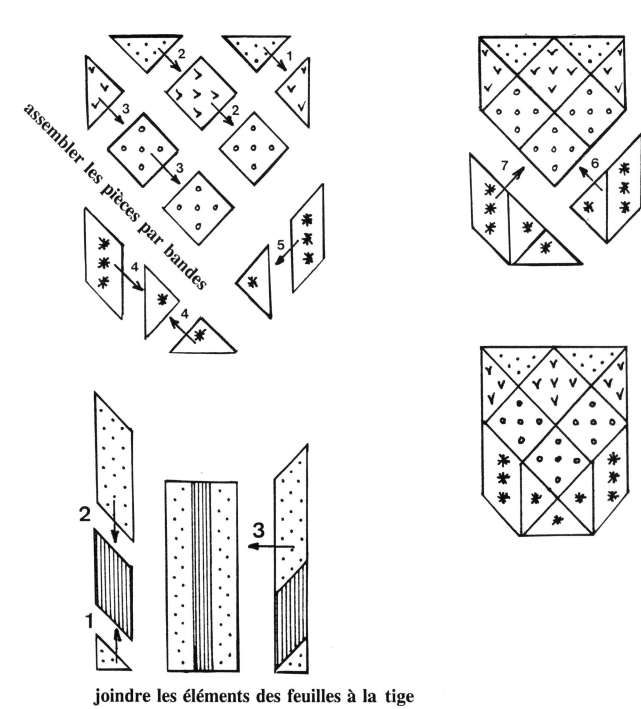

assembler les pièces par bandes

joindre les éléments des feuilles à la tige

incruster la fleur à la tige

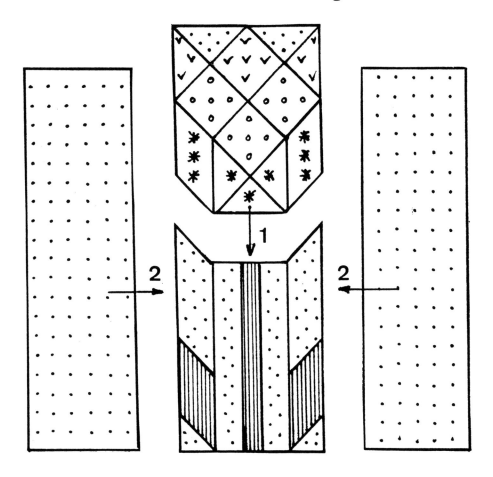

montage final du bloc

10. L'ÉTOILE DU SOIR
evening star

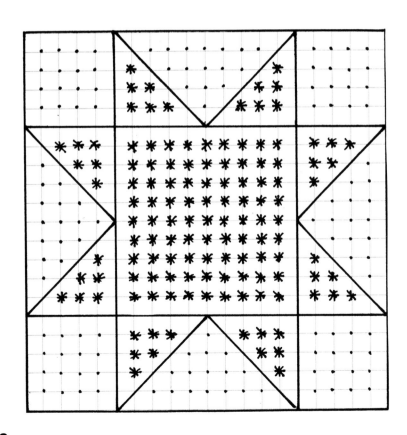

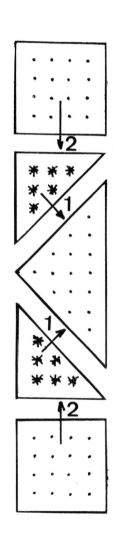

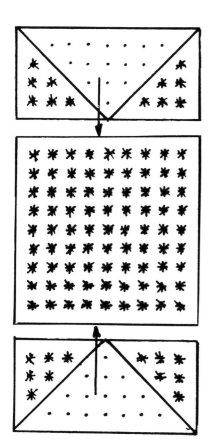

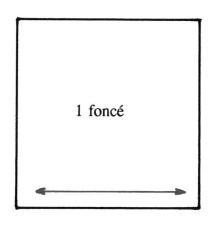

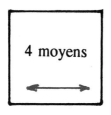

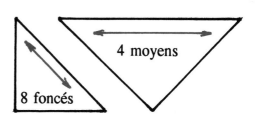

1 foncé

4 moyens

8 foncés

4 moyens

11. L'ÉVENTAIL DE GRAND-MÈRE
grandmother's fan

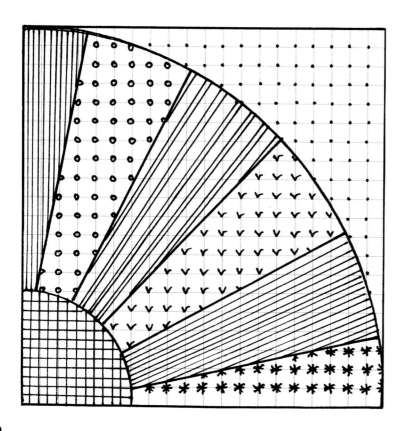

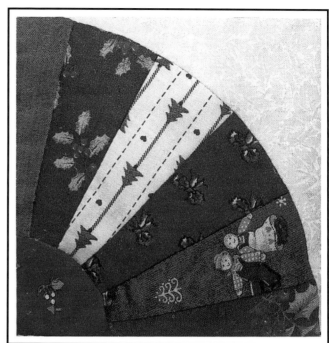

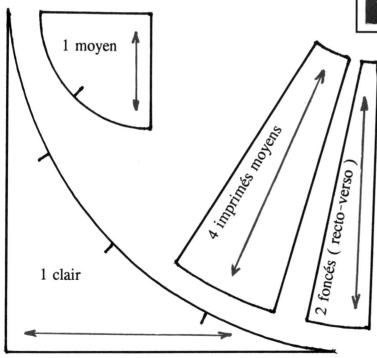

1 moyen

4 imprimés moyens

2 foncés (recto-verso)

1 clair

71

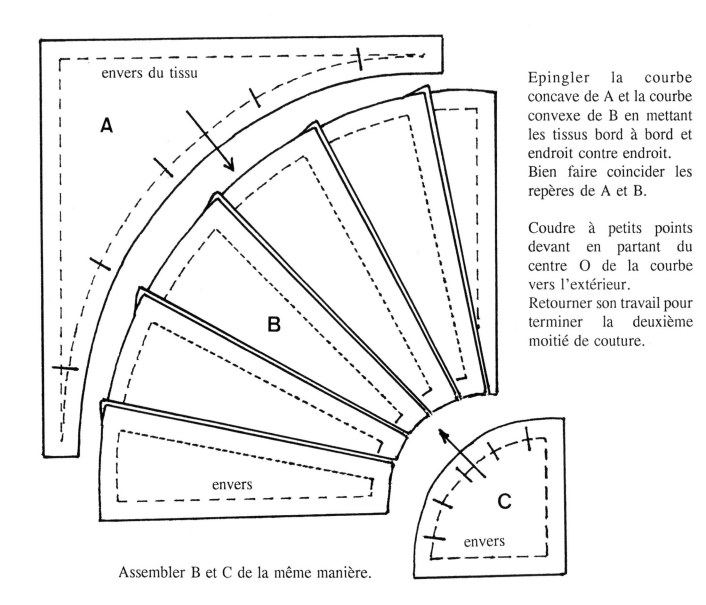

envers du tissu

A

B

envers

envers

C

Epingler la courbe concave de A et la courbe convexe de B en mettant les tissus bord à bord et endroit contre endroit.
Bien faire coincider les repères de A et B.

Coudre à petits points devant en partant du centre O de la courbe vers l'extérieur.
Retourner son travail pour terminer la deuxième moitié de couture.

Assembler B et C de la même manière.

Commencer la couture à partir du point **O**

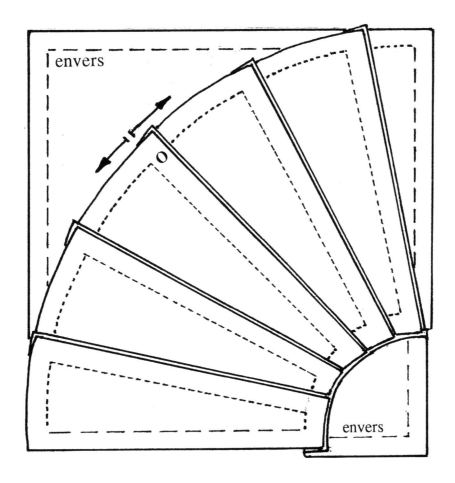

ASSEMBLAGE DES DEUX COURBES

73

12. JEU DE CUBES
baby blocks

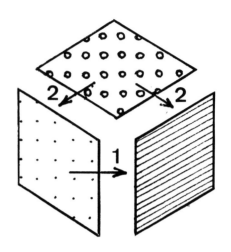

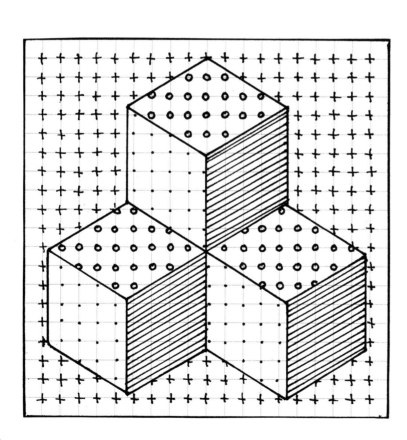

- les losanges assemblés donnent l'impression de cubes en volume.
- l'effet de relief est accentué par la disposition des tissus de différentes valeurs.

remarque :
pensez à inverser vos losanges moyens.

**trois cubes à poser en appliqué
sur un carré de tissu de 10cm de côté**

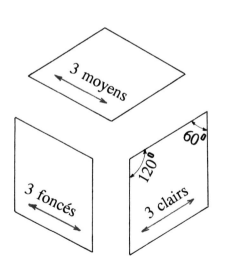

13. LES QUATRE COINS
puss in the corner

Assembler ces morceaux pour faire deux bandes identiques.

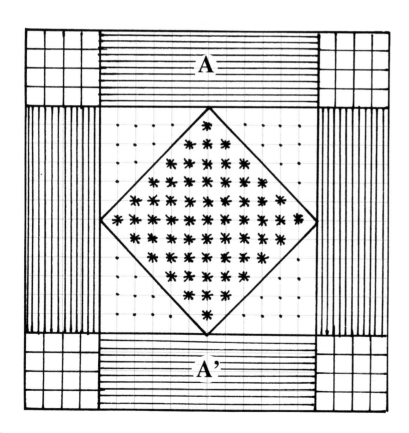

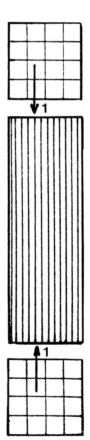

Reconstitution d'un carré

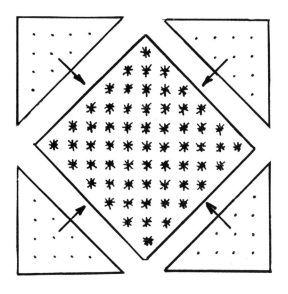

Les deux rectangles A et A' sont montés en opposition autour de ce carré central.

Terminer par la pose des 2 premières bandes.

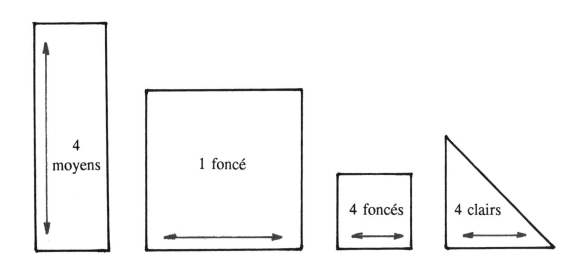

4 moyens

1 foncé

4 foncés

4 clairs

14. POINTES DE FLÈCHES INDIENNES
indian arrow-heads

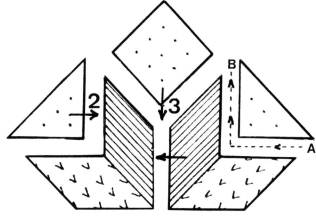

de A vers B :
incrustation du triangle.

coudre en suivant les flèches

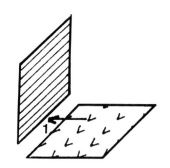

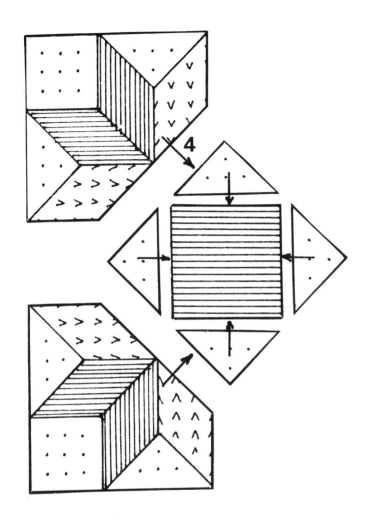

4

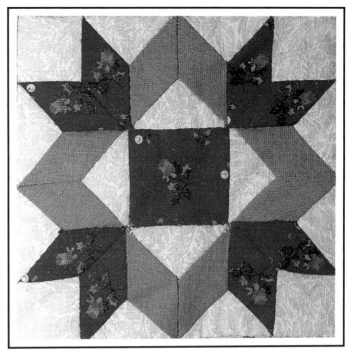

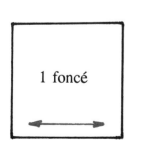
1 foncé

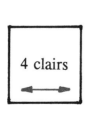
4 clairs

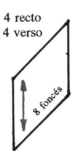
4 recto
4 verso
8 foncés

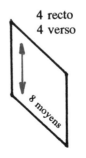
4 recto
4 verso
8 moyens

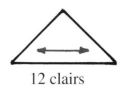
12 clairs

15. NŒUD PAPILLON
bow-tie

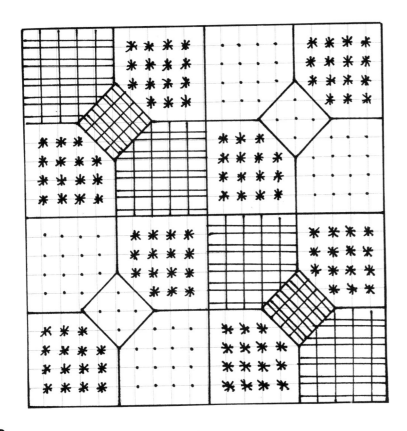

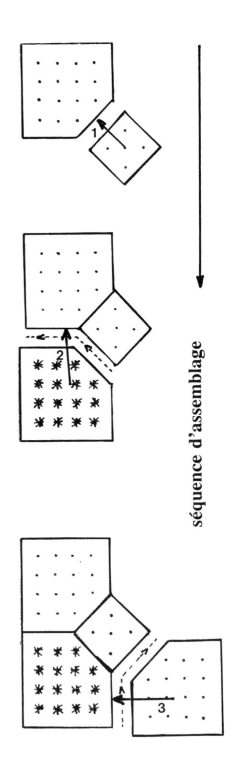

séquence d'assemblage

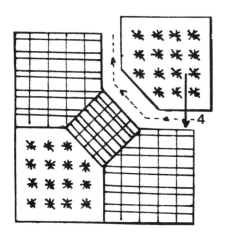

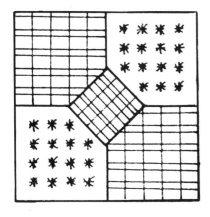

opposer les blocs
lors de l'assemblage

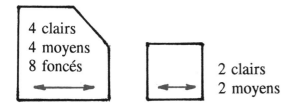

4 clairs
4 moyens
8 foncés

2 clairs
2 moyens

16. LES SILLONS
straight furrows

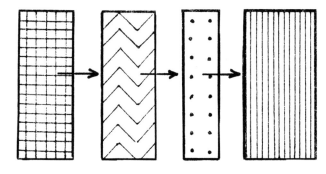

assembler les rectangles
pour former des bandes

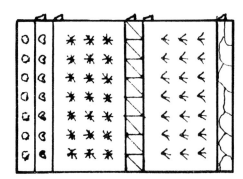

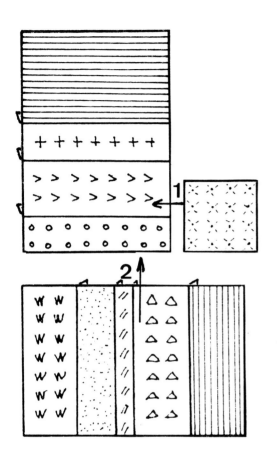

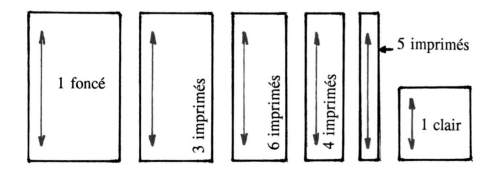

17. L'OISEAU
bird

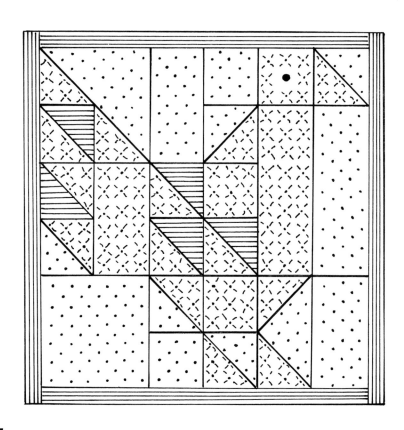

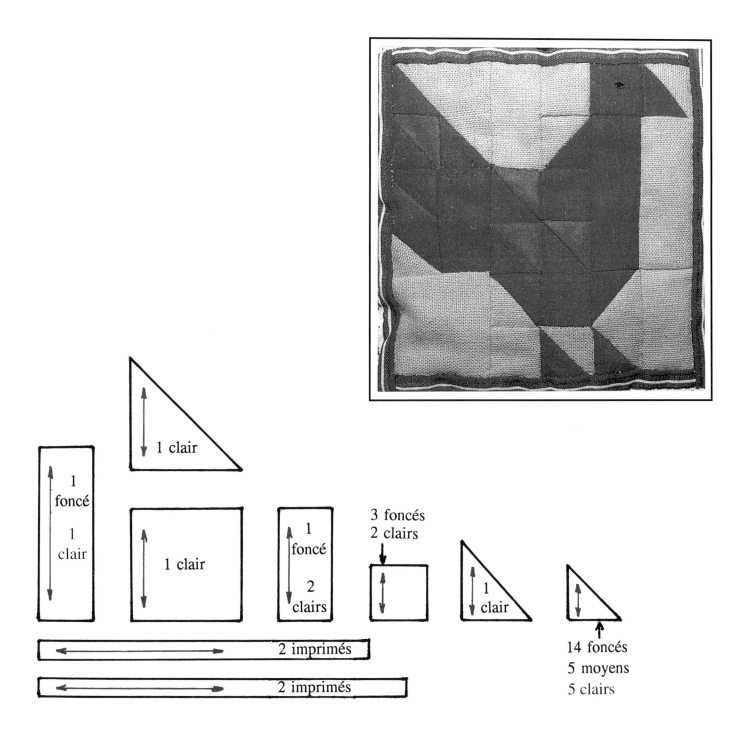

1 clair

1
foncé

1
clair

1 clair

1
foncé

2
clairs

3 foncés
2 clairs

1
clair

1
clair

2 imprimés

2 imprimés

14 foncés
5 moyens
5 clairs

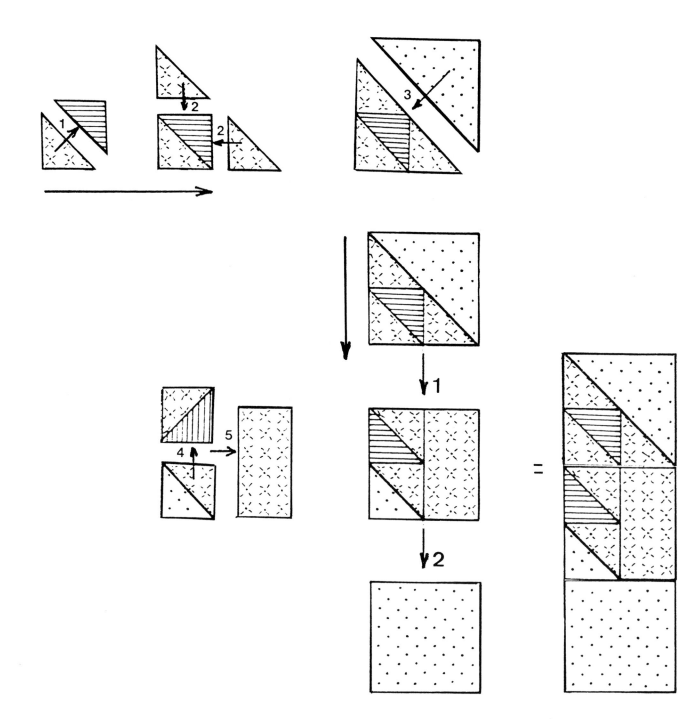

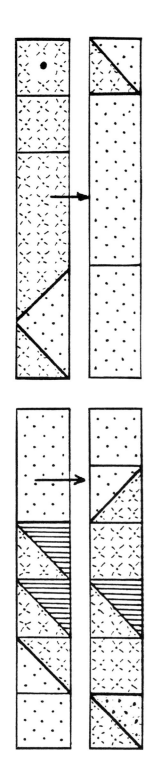

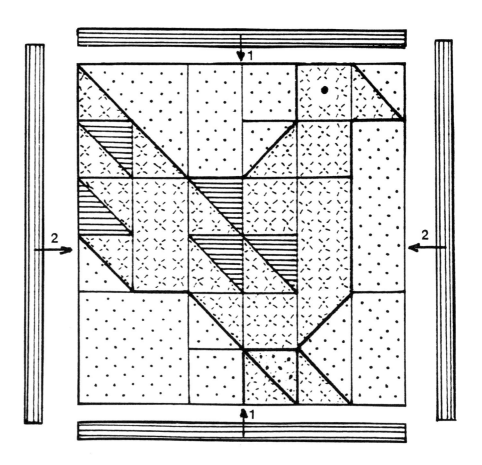

Terminer par un petit point de broderie, pour l'œil.

18. L'ÉTOILE À HUIT BRANCHES
eight-pointed star

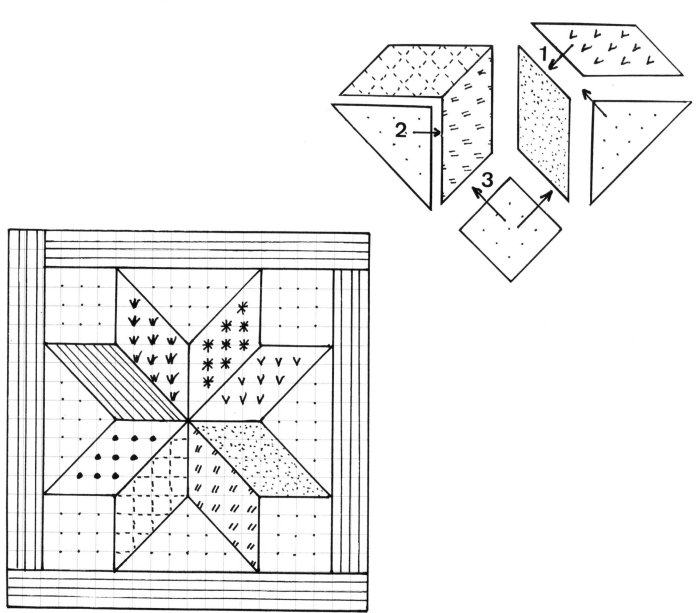

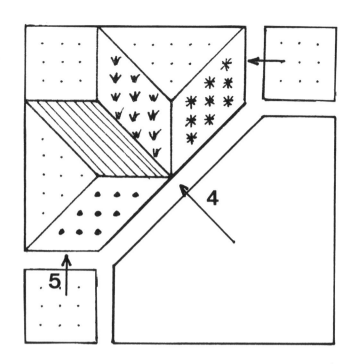

border chaque côté du carré
par un rectangle

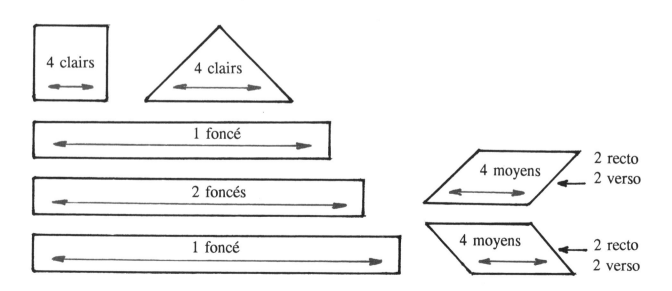

19. LE SAPIN
fir

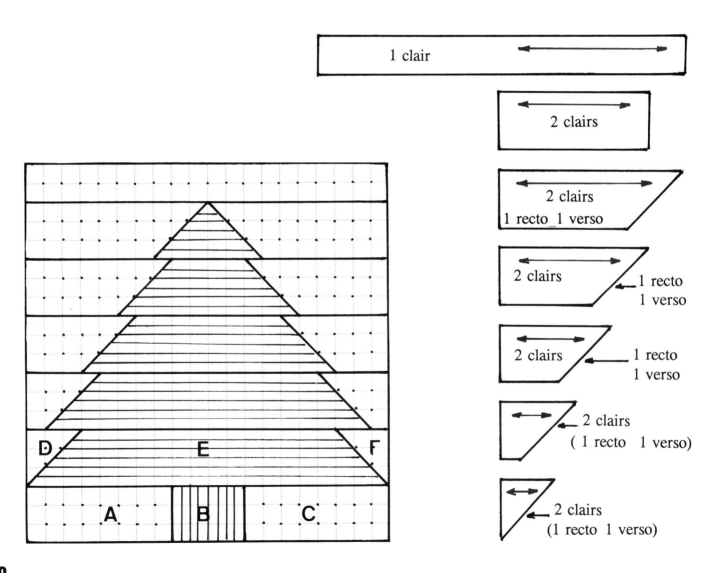

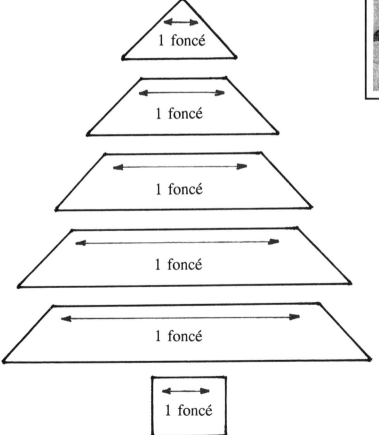

1 foncé

1 foncé

1 foncé

1 foncé

1 foncé

1 foncé

faire des bandes qui seront ensuite
assemblées pour reconstituer
le motif carré

1ère bande   : A --- B --- C
2ème bande : D --- E --- F

20. LES NEUF CARRÉS
nine patch

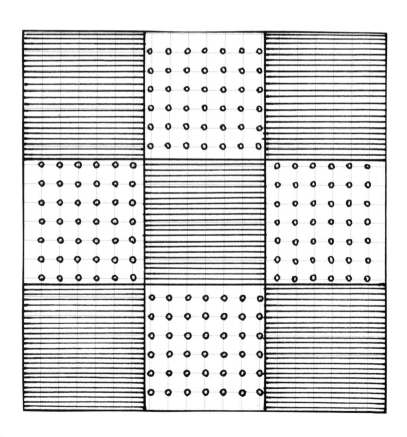

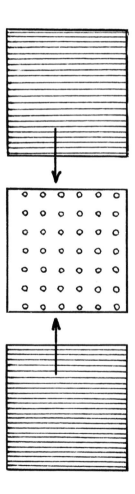

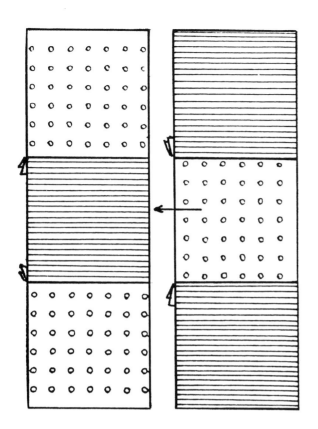

attention : les coutures
ne sont pas comprises
dans les gabarits

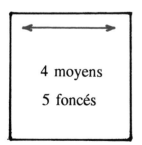

4 moyens

5 foncés

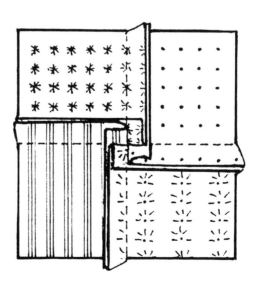

21. LA CABANE DE RONDINS
log cabin

- les rectangles de tissu s'assemblent à l'image des troncs de bois.

- le carré central, traditionnellement rouge, représente le feu de l'âtre.

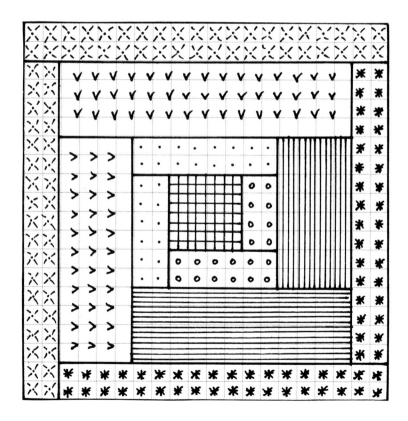

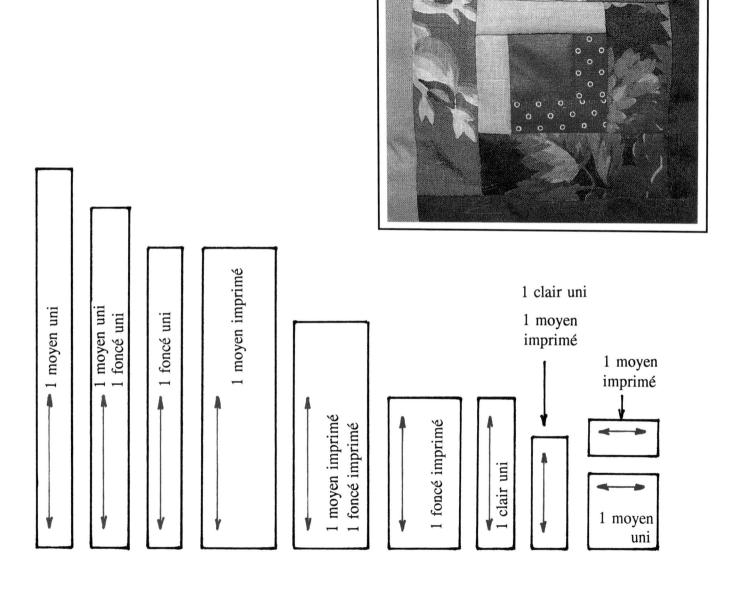

1 moyen uni

1 moyen uni
1 foncé uni

1 foncé uni

1 moyen imprimé

1 moyen imprimé
1 foncé imprimé

1 foncé imprimé

1 clair uni

1 clair uni

1 moyen imprimé

1 moyen imprimé

1 moyen uni

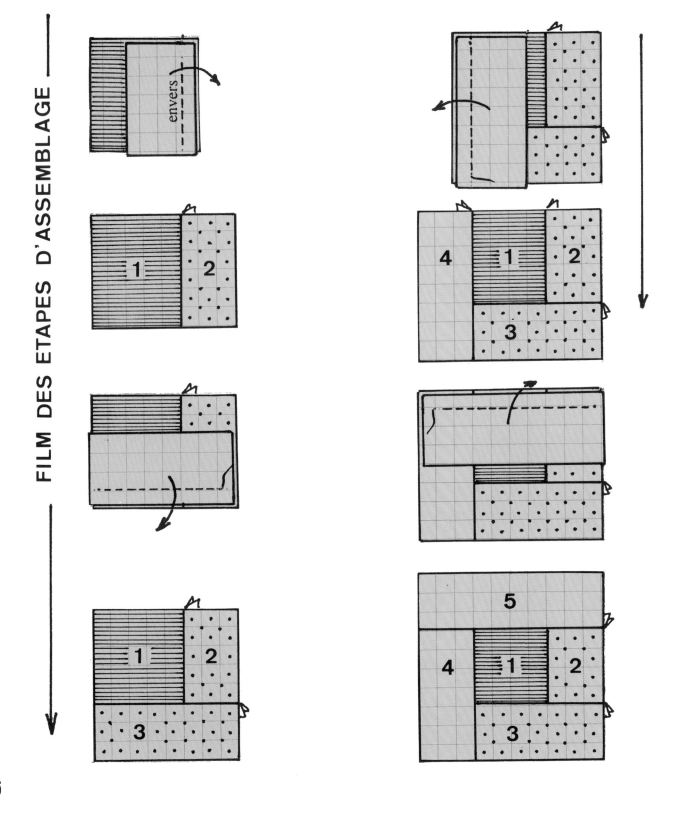

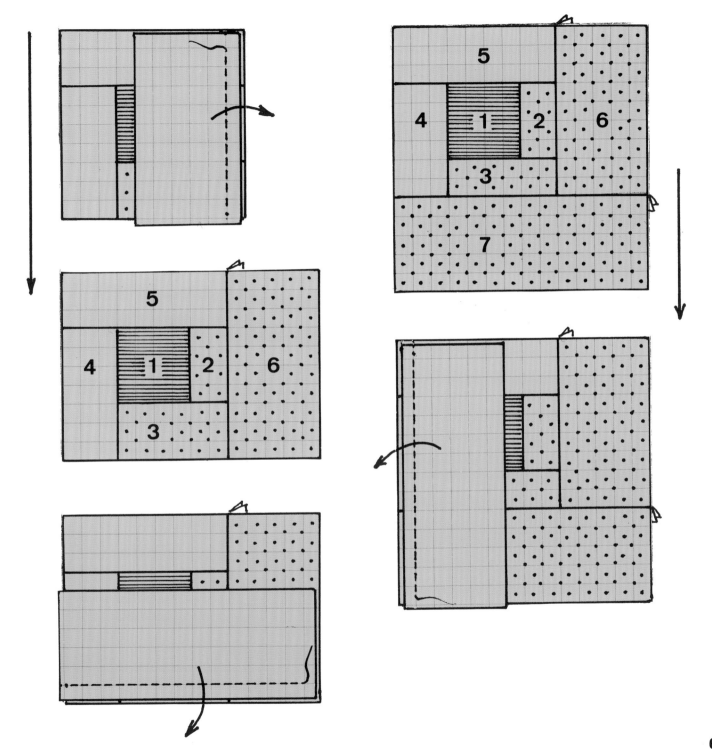

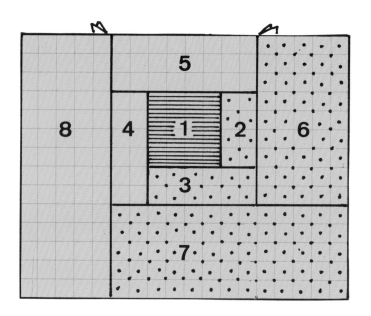

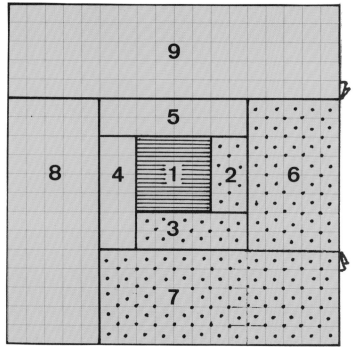

Les chiffres des schémas indiquent l'ordre de montage des bandes de tissu, pour obtenir le carré du log cabin

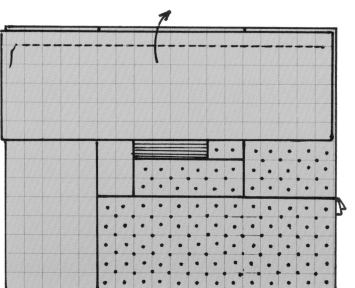

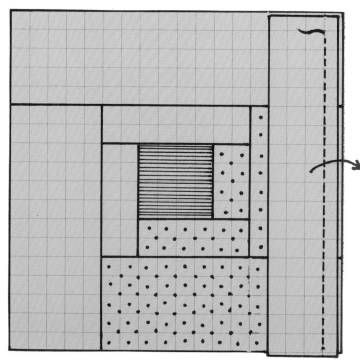

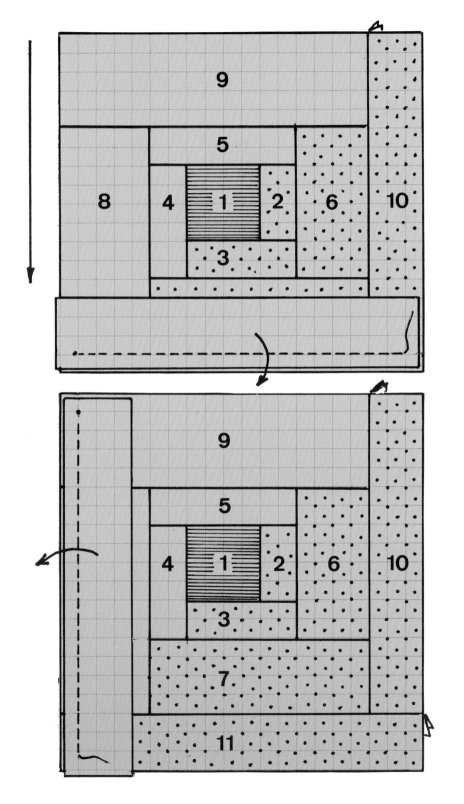

Terminer par la pose d'un
treizième rectangle

22. LA CLÉ ANGLAISE
wrench

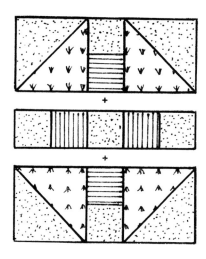

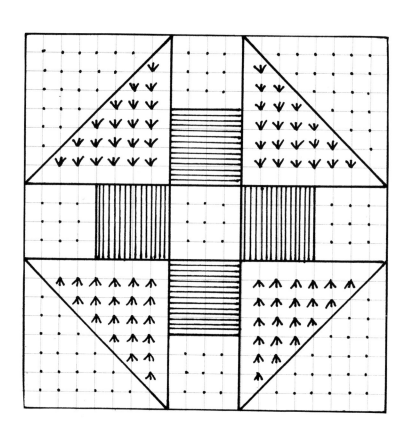

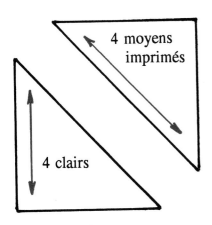

4 moyens
imprimés

4 clairs

4 foncés
1 clair impr.
4 clairs

23. IMAGE
log cabin variation

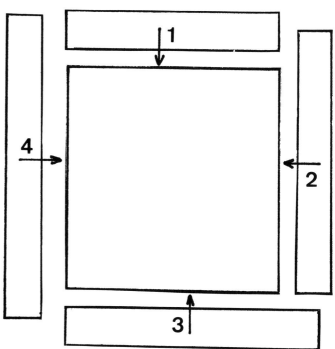

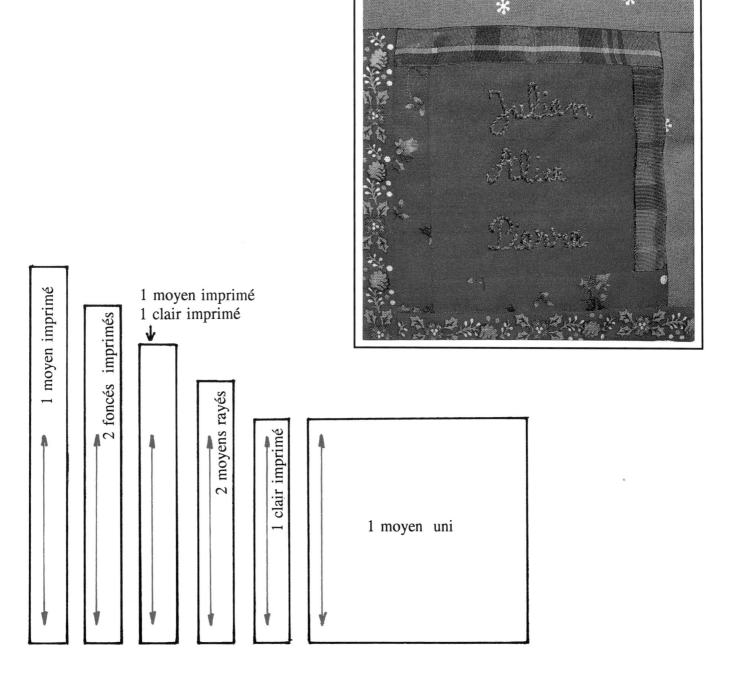

1 moyen imprimé

2 foncés imprimés

1 moyen imprimé
1 clair imprimé

2 moyens rayés

1 clair imprimé

1 moyen uni

24. APPLIQUÉ-INVERSÉ
reverse appliqué

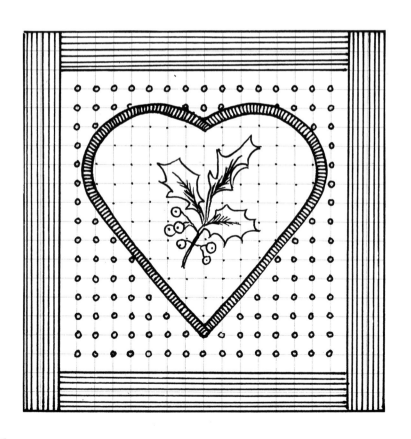

ce tissu avec motif central est à placer sous le grand carré de base : un carré de 10cm de côté.

1 clair avec motif

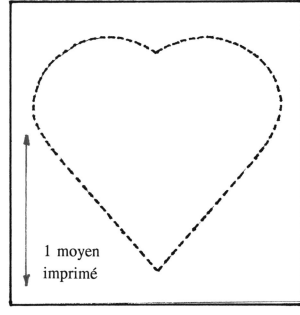

2 foncés unis

2 foncés unis

1 moyen
imprimé

- superposer les 2 carrés de tissu.
- les maintenir par un point de bâti
  provisoire.
- couper uniquement le tissu de dessus,
  en suivant le pointillé.
-- le motif central du carré du dessous
  apparait.
- faire un point de feston ,
  (main ou machine),
  à cheval sur le bord coupé :
  le feston sert à maintenir
  les 2 tissus ensemble.

CLASSEMENT DES MOTIFS

1	2	3	4
5	6	7	8
9	10	11	12
13	14	15	16
17	18	19	20
21	22	23	24

MONTAGE DU SAMPLER
préparation des bandes

18 clairs

5 clairs

à prolonger : longueur
totale = 46cm

2 clairs   longueur totale = 70cm

2 clairs   longueur totale = 57cm

2 foncés de 81cm de long
2 foncés de 59cm de long

remarque :
les bandes foncées de finition peuvent
être remplacées par un biais de coton
posé à cheval sur le contour du quilt et
rabattu sur l'envers par un point d'ourlet.

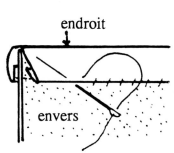

endroit

envers

Assemblage des carrés

étape 1

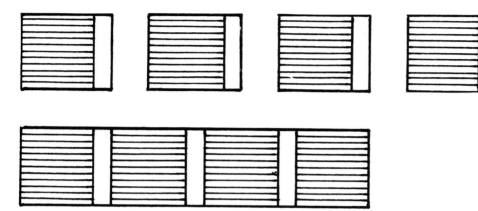

coudre $\lceil$ un carré
$\lfloor$ un rectangle
à points devant, les
tissus étant placés
endroit contre endroit.

assembler ces morceaux
pour faire une rangée.
idem jusqu'à la rangée 6

étape 2

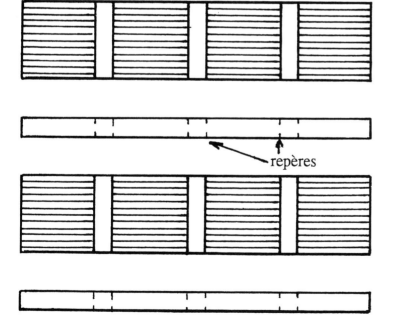

repères

intercaler entre chaque
rangée une bande de
46cm de long.

faire coïncider très
exactement les repères
des bandes avec les
carrés de patchwork

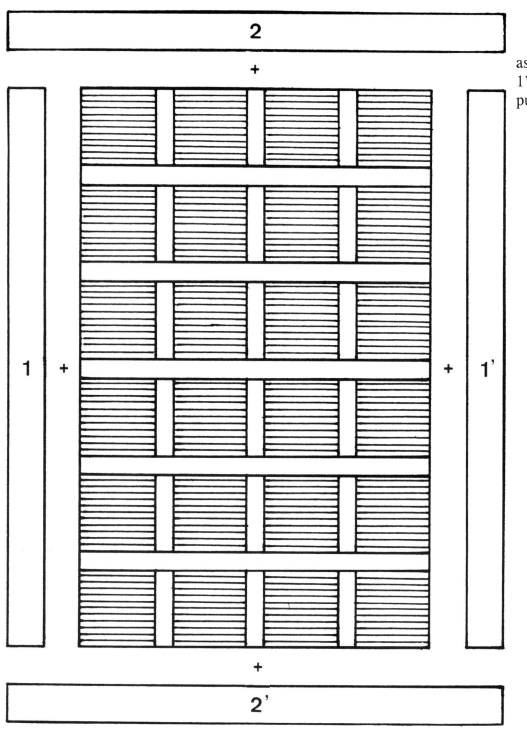

assembler les bandes 1 e
1' au panneau central
puis les bandes 2 et 2'

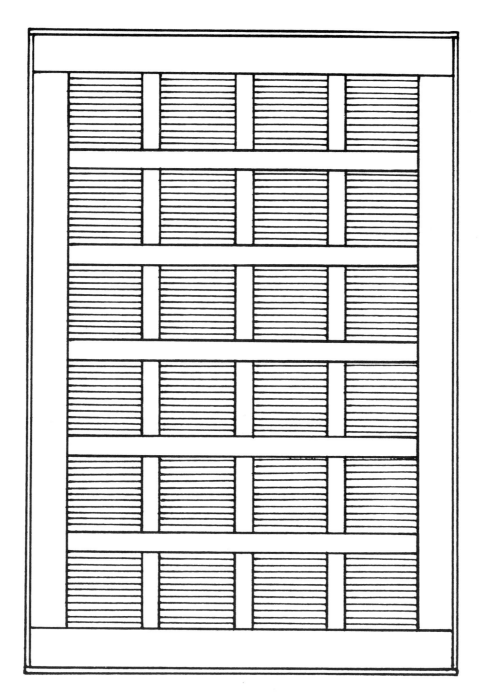

MONTAGE DES MOTIFS AVEC DES BANDES D'ENTRE-DEUX ET DE FINITION

LES LIGNES DE MATELASSAGE

- le dessus, composé de carrés et de bandes, étant assemblé, il est ensuite posé sur une nappe de molleton de coton ou molleton synthétique et enfin sur l'envers d'une doublure.
- le piquage maintient les trois couches parfaitement ensemble.
- le dessin du piquage suit celui du dessus, très géométrique.

- un bord droit à cheval termine l'ouvrage.

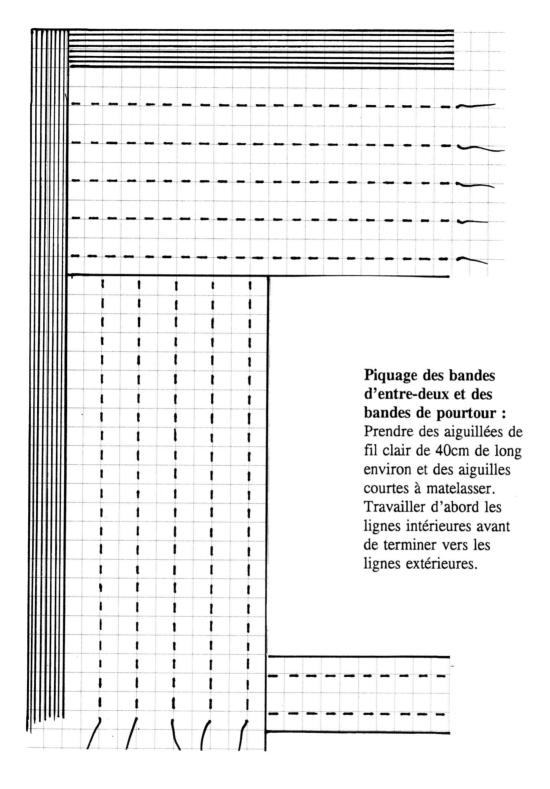

Piquage des bandes d'entre-deux et des bandes de pourtour :
Prendre des aiguillées de fil clair de 40cm de long environ et des aiguilles courtes à matelasser. Travailler d'abord les lignes intérieures avant de terminer vers les lignes extérieures.

REALISATION DU VOLET

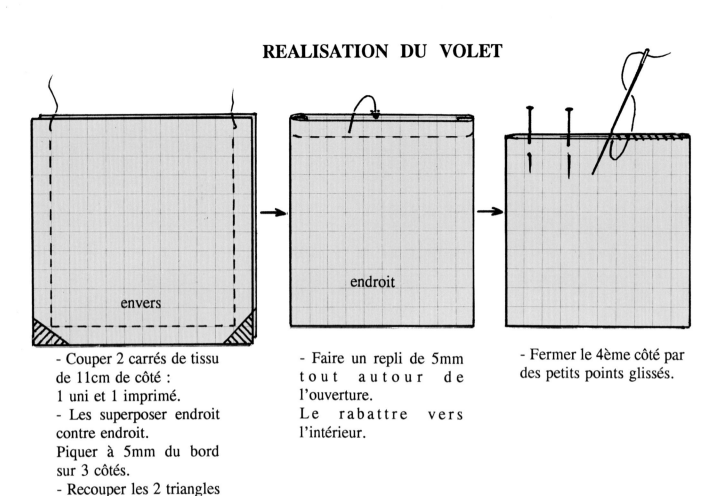

envers

endroit

- Couper 2 carrés de tissu de 11cm de côté :
1 uni et 1 imprimé.
- Les superposer endroit contre endroit.
Piquer à 5mm du bord sur 3 côtés.
- Recouper les 2 triangles hachurés avant de retourner les 2 tissus pour les mettre à l'endroit.

- Faire un repli de 5mm tout autour de l'ouverture.
Le rabattre vers l'intérieur.

- Fermer le 4ème côté par des petits points glissés.

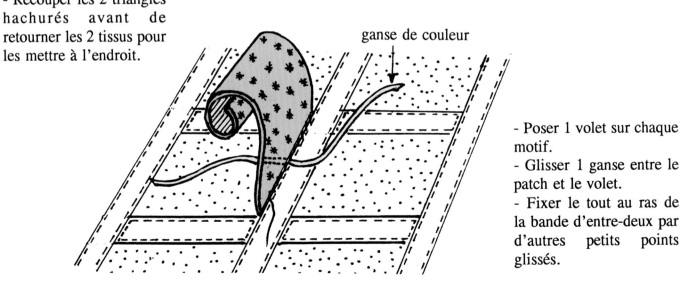

ganse de couleur

- Poser 1 volet sur chaque motif.
- Glisser 1 ganse entre le patch et le volet.
- Fixer le tout au ras de la bande d'entre-deux par d'autres petits points glissés.

2. les cartes de vœux

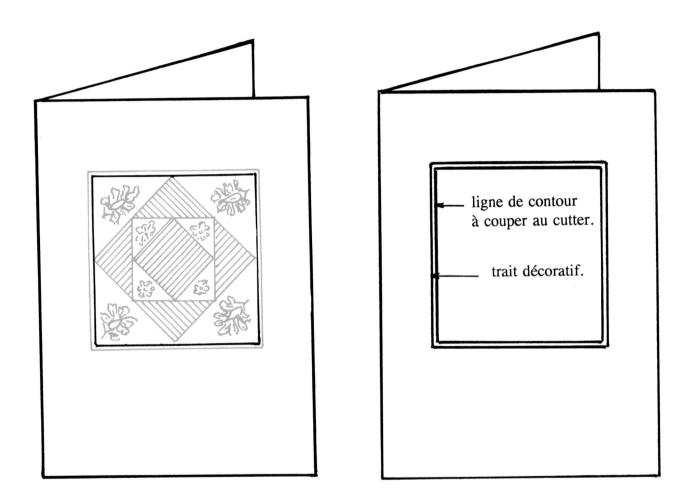

ligne de contour
à couper au cutter.

trait décoratif.

**vue extérieure de
la carte terminée**

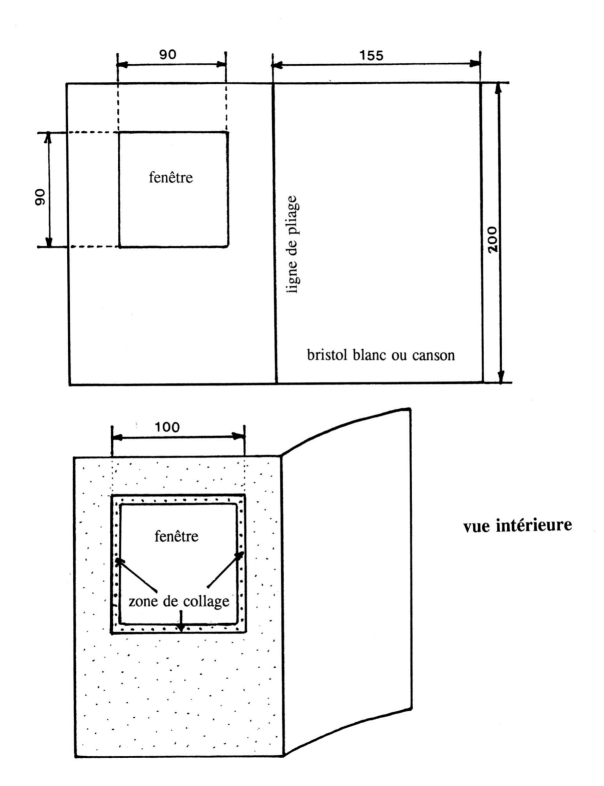

90

155

fenêtre

90

ligne de pliage

200

bristol blanc ou canson

100

fenêtre

zone de collage

vue intérieure

117

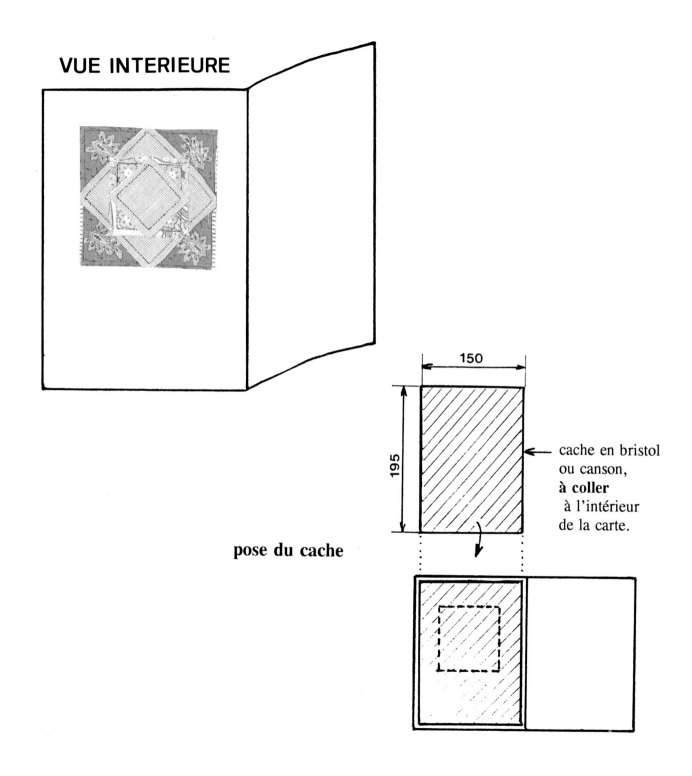

VUE INTERIEURE

pose du cache

150

195

cache en bristol
ou canson,
à coller
 à l'intérieur
de la carte.

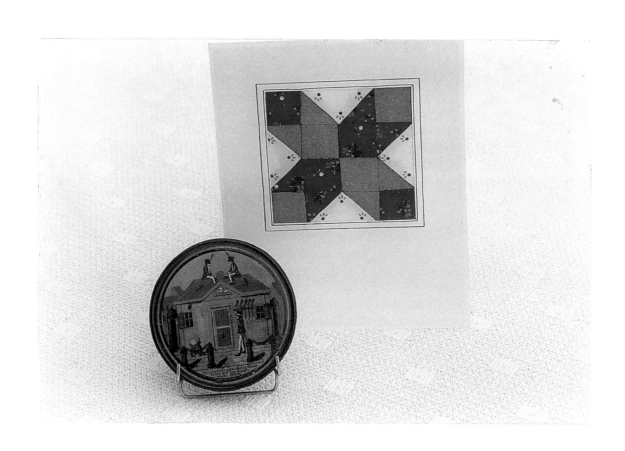

Les sept motifs des cartes de vœux

1- **le carré dans le carré** (square in a square)

2- **rapiéçage** (economy patch)

3- **fantasmagorie** (gentleman's fancy)

4- **juste et carré** (fair in square)

5- **lumière et ombre** (sunshine and shadow)

6- **puzzle american** (yankee puzzle)

7- **l'enclume** (the anvil)

1. LE CARRÉ DANS LE CARRÉ
square in a square

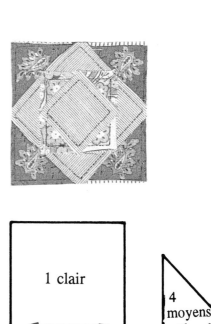

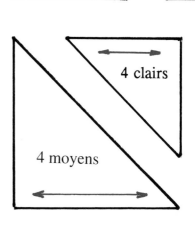

1 clair

4 moyens

4 clairs

4 moyens

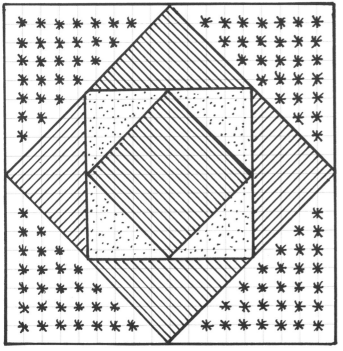

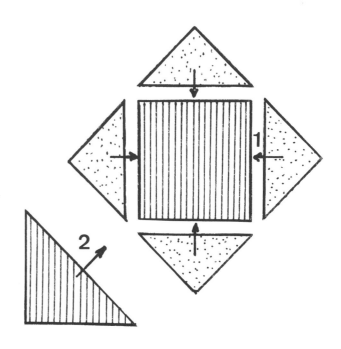

2. RAPIÉÇAGE
economy patch

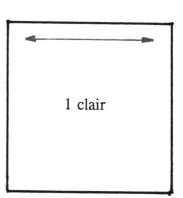

1 clair

4 moyens

4 foncés

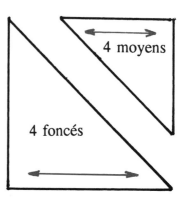

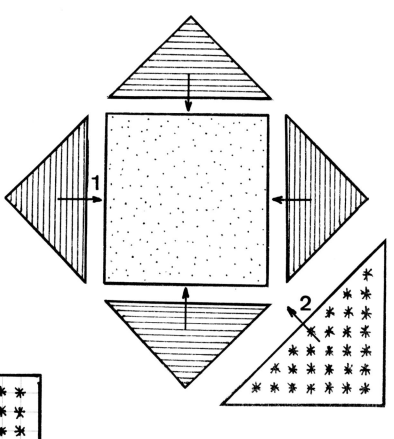

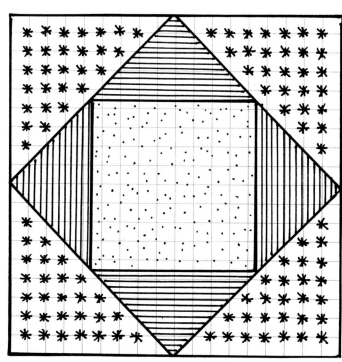

3. FANTASMAGORIE
gentleman's fancy

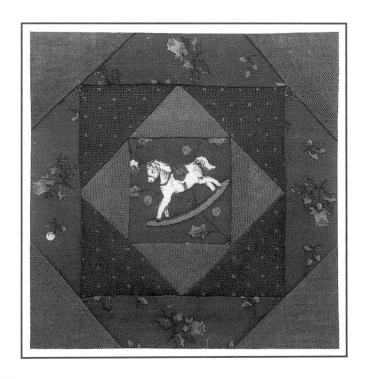

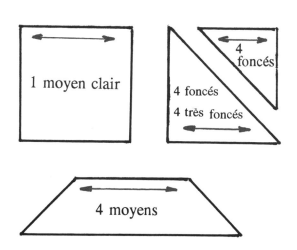

1 moyen clair

4 foncés

4 foncés
4 très foncés

4 moyens

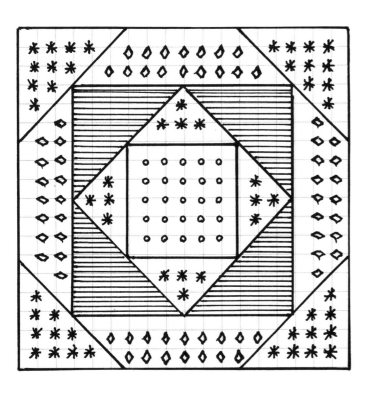

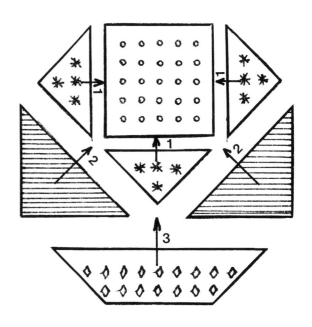

133

4. JUSTE ET CARRÉ
fair in square

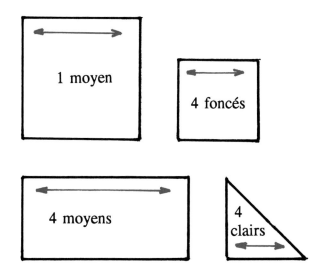

1 moyen

4 foncés

4 moyens

4 clairs

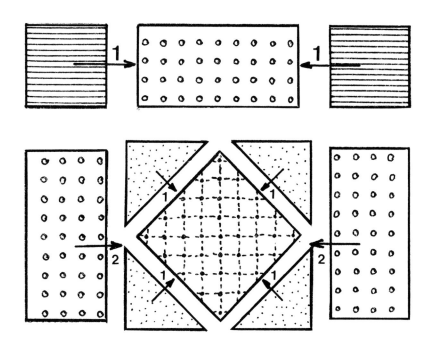

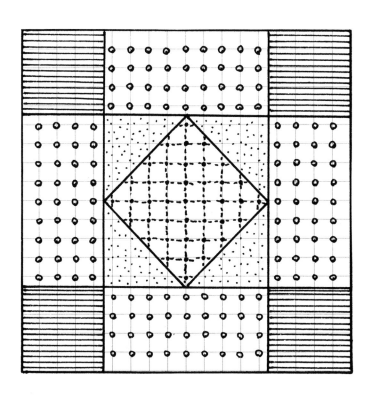

5. LUMIÈRE ET OMBRE
sunshine and shadow

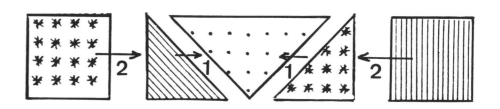

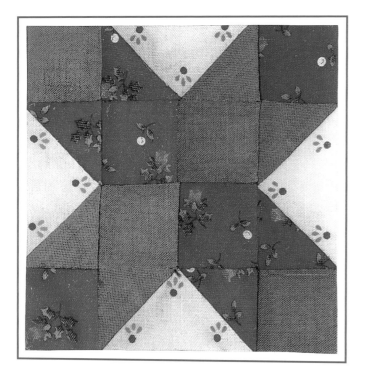

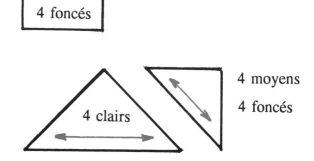

4 moyens
4 foncés

4 clairs

4 moyens
4 foncés

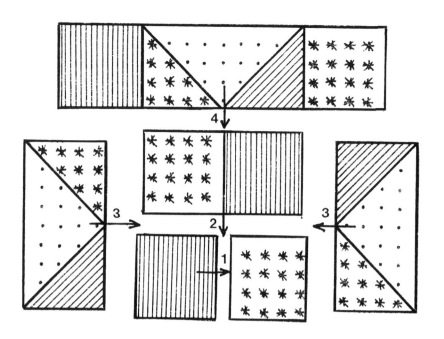

les chiffres correspondent
à l'ordre d'assemblage.

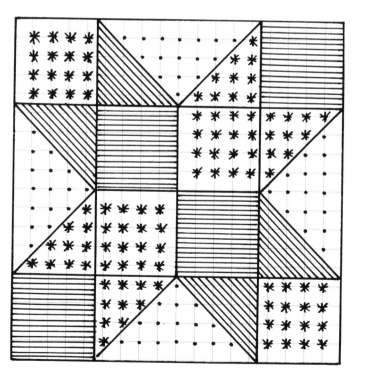

6. PUZZLE AMÉRICAIN
yankee puzzle

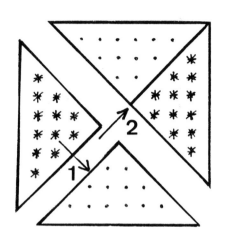

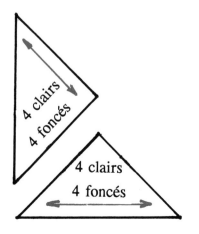

4 clairs
4 foncés

4 clairs
4 foncés

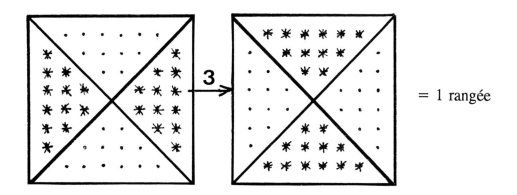

= 1 rangée

Refaire une 2ème rangée en inversant les couleurs dans les triangles.

Assembler les 2 rangées pour obtenir 1 bloc.

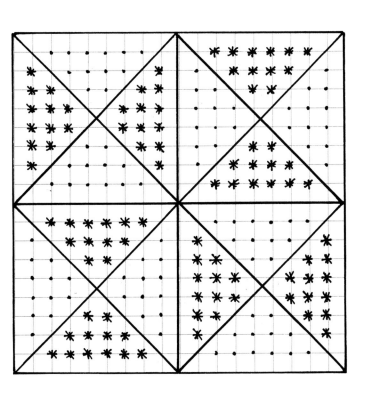

7. L'ENCLUME
the anvil

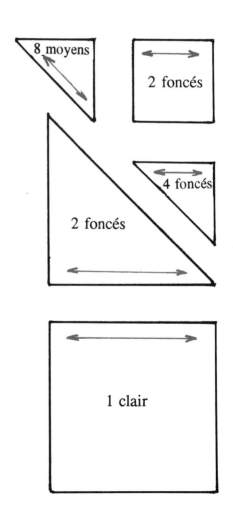

8 moyens

2 foncés

2 foncés

4 foncés

1 clair

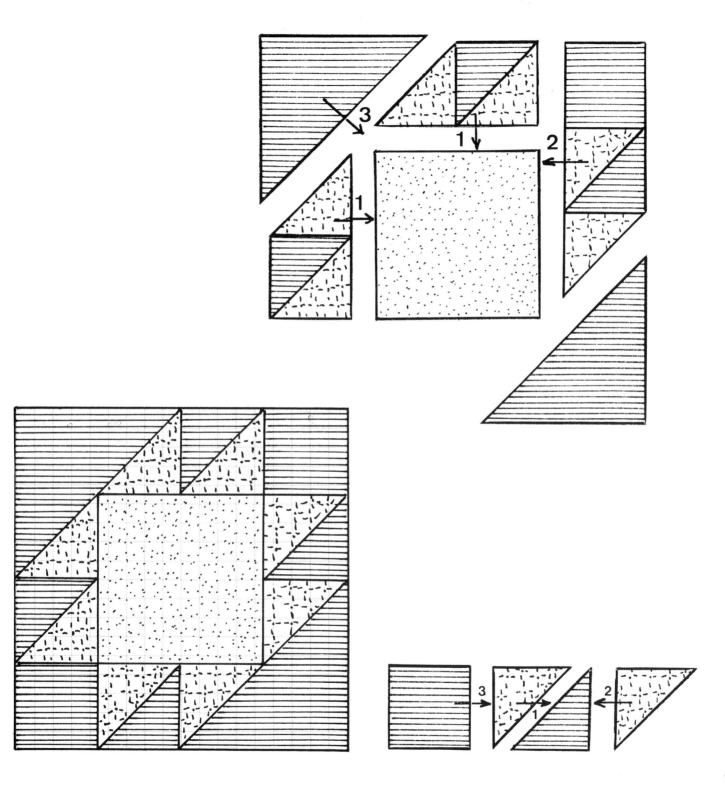

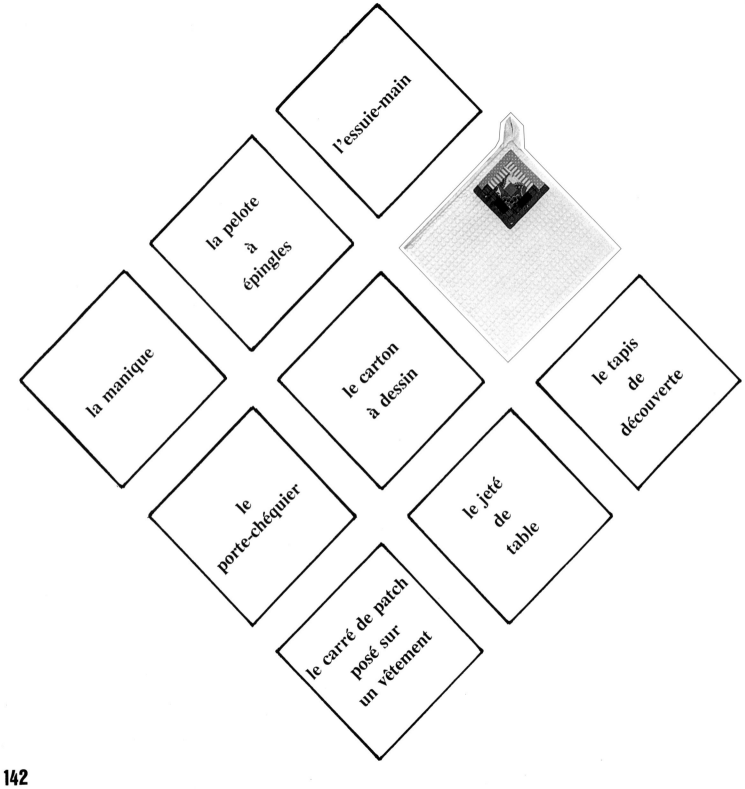

l'essuie-main

la pelote
à
épingles

la manique

le carton
à dessin

le tapis
de
découverte

le
porte-chéquier

le jeté
de
table

le carré de patch
posé sur
un vêtement

3. suggestions d'ouvrages

LA MANIQUE

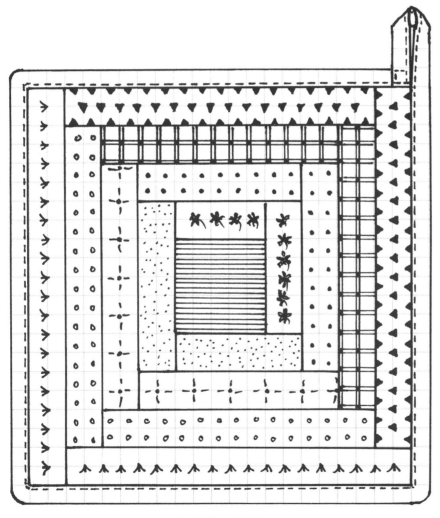

échelle : 0,5

Commencer par confectionner un carré en log cabin, en suivant l'ordre de montage des schémas des pages précédentes.

dimensions :
- carré central = 6cm de côté (les coutures sont comprises)
- bandes claires et foncées = 3cm de large
- biais de coton pour la bordure et la petite attache = 1 mètre
- molleton de **coton** (le molleton synthétique ne supporte pas la chaleur)
- un carré de doublure en tissu imprimé = 22cm

Superposer les trois épaisseurs de tissu :
- . le carré de patch
- . le molleton
- . la doublure

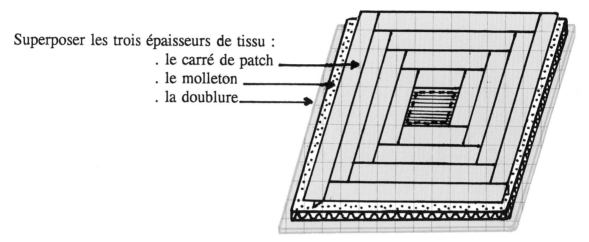

Replier la partie flottante du biais qui dépasse de la manique. Elle sert à réaliser l'attache. Fixer l'extrémité du biais au dos, au ras du biais et de la doublure.

Surpiquer à petits points devant le carré central.

N.B. le molleton est coincé entre :
- . l'envers du patchwork et
- . l'envers de la doublure.

Epingler ces trois couches de tissu.
Bâtir soigneusement le pourtour.
Poser un biais à cheval en commençant à un angle, l'endroit du biais contre l'endroit du patchwork. Coudre à la main ou à la machine. Le rabattre sur l'envers à points glissés.

LA PELOTE À ÉPINGLES

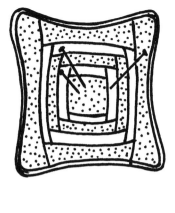

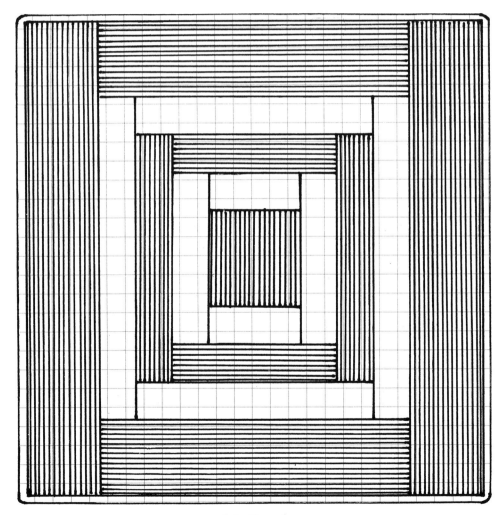

échelle : 1

Réaliser cette variation du log cabin avec deux tissus unis, noir et bordeaux :
 - dimensions du carré central noir = 3,5cm de côté (réserves comprises).
 - les bandes noires et bordeaux ont 2cm de large.
 - les bandes noires de bordure ont 3cm de large.
 - le passepoil recouvert de tissu bordeaux = périmètre de la pelote à épingles + 2cm
pour le raccord.
 - un carré de tissu noir de 13cm de côté pour la doublure.
 - du riz rond pour le rembourrage.

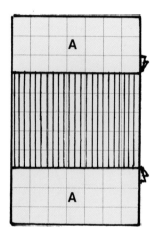

Toutes les bandes sont montées en opposition autour autour du carré central.

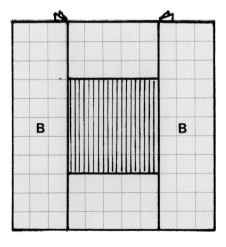

Doubler le carré de patch par le carré de tissu noir en intercalant entre les deux tissus un passepoil (voir fiche de montage "pose d'un passepoil").

Laisser une ouverture de quelques cm sur un des côtés de la pelote à épingles, au ras du passepoil et de la doublure.

Y glisser le riz rond. Bien bourrer la pelote. Refermer soigneusement l'ouverture à points glissés.

L'ESSUIE-MAIN

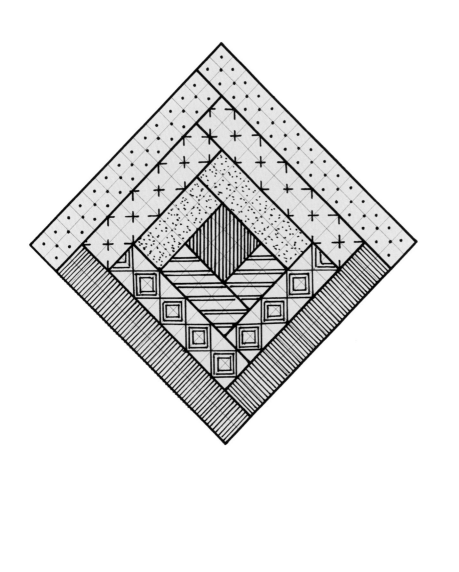

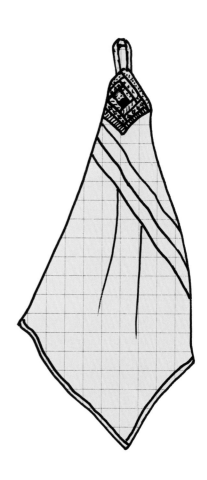

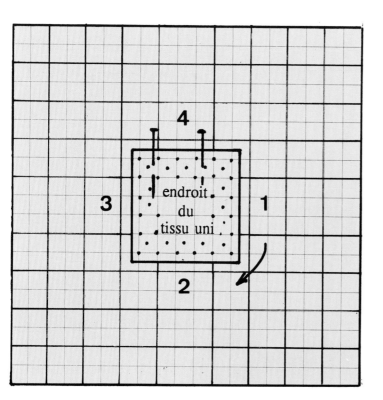

TECHNIQUE MACHINE

- Découper un carré de 9,5cm de côté en tissu blanc (ou toile à patron).

- Y tracer au crayon de papier le quadrillage du croquis.
Cette grille servira à positionner correctement les bandes claires et foncées autour du petit carré central.

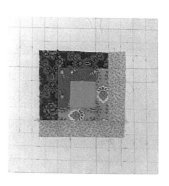

Choisir :
    . 3 tissus clairs.
    . 3 tissus foncés.
(imprimés, rayés, petits pois...).

- Découper des bandes de tissus de 2,5cm de large : leur longueur est déterminée au moment du montage.

- Couper dans un tissu uni vif un carré de 3cm de côté. Le positionner au centre du tissu de fond quadrillé.
Le montage des bandes se fait bord à bord, endroit contre endroit, en commençant dans la zone 1 et 2 avec le premier tissu de valeur claire ; puis utiliser en 3 et 4 le premier tissu foncé.

tissu de fond

endroit du tissu uni

149

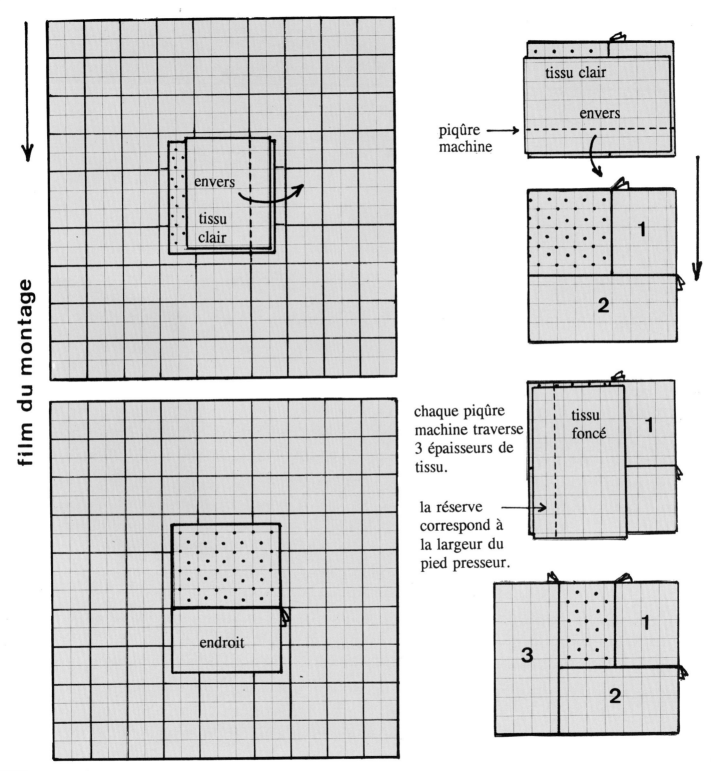

film du montage

envers

tissu
clair

endroit

tissu clair

envers

piqûre
machine →

1

2

chaque piqûre
machine traverse
3 épaisseurs de
tissu.

tissu
foncé

1

la réserve
correspond à
la largeur du
pied presseur.

3

1

2

150

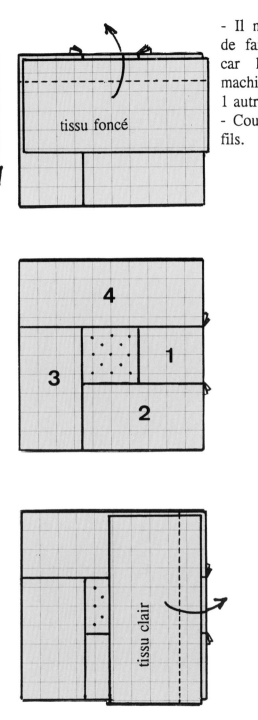

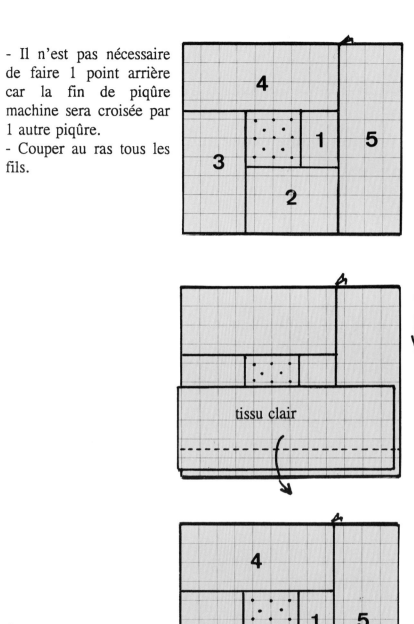

- Il n'est pas nécessaire de faire 1 point arrière car la fin de piqûre machine sera croisée par 1 autre piqûre.
- Couper au ras tous les fils.

tissu foncé

tissu clair

tissu clair

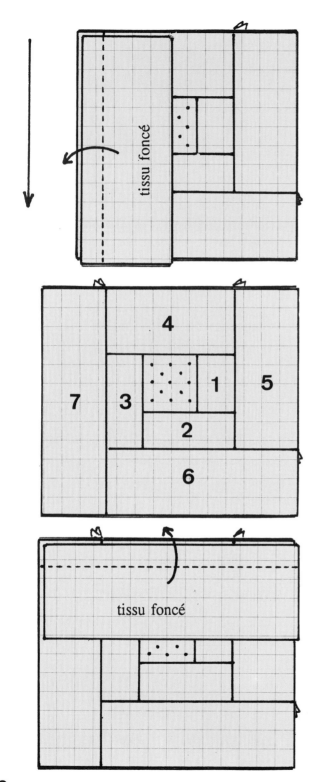

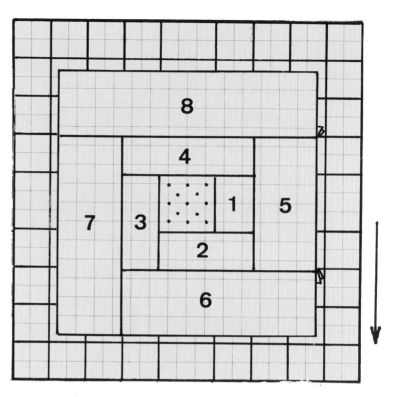

les piqûres machine coïncident avec les lignes de la grille

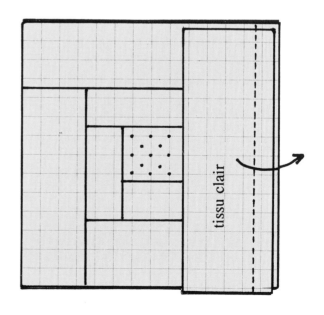

152

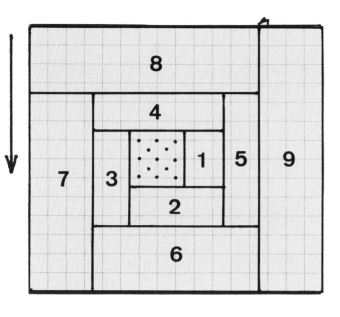

Ecraser à l'ongle chaque rectangle rabattu.

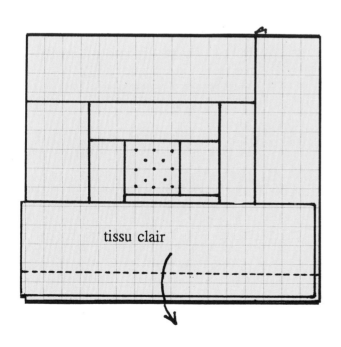

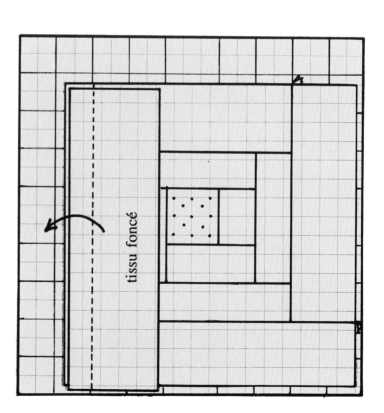

153

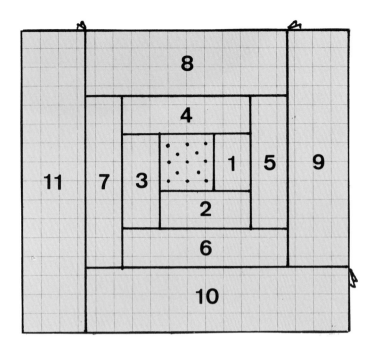

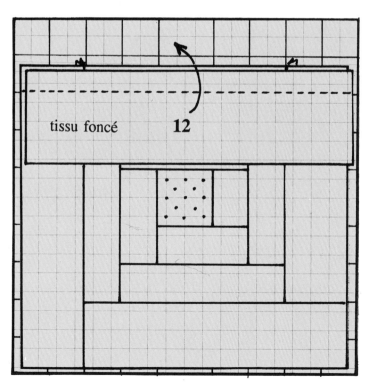

- Recouper le tissu de fond qui dépasse.

- Faire un repli de 7mm tout autour du carré de patchwork.

- Poser ce carré sur un coin de l'essuie-main ; le fixer avec des points glissés petits et discrets.

N.B. L'essuie-main va être soumis à des lavages fréquents : cette méthode de technique machine donne un montage plus solide que des assemblages faits à la main.

LE PORTE-CHÉQUIER

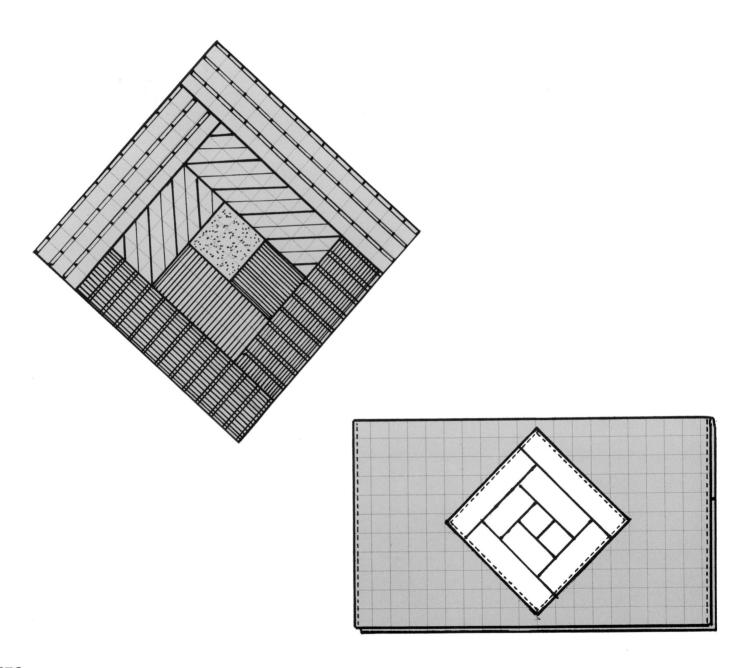

Matériel :

- 2 rectangles de 39 x 21,5cm (un imprimé et un uni).

- Pour le motif des rondins :
   . 1 carré uni de 3cm de côté.
   . Des bandes rectangulaires de 3cm de large (2 imprimés foncés et 2 imprimés clairs)

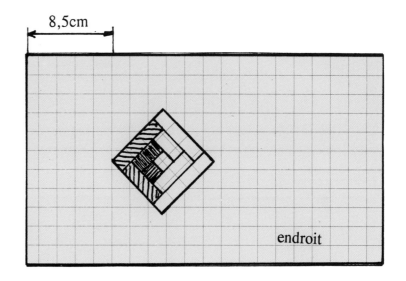

Pour réaliser le motif qui est travaillé autour d'un centre carré, utiliser la méthode "technique machine" (voir essuie-main).

Poser le "patch" sur l'endroit du rectangle imprimé, à 8,5cm du bord supérieur.
Surpiquer à la machine les 4 côtés du carré.

Repasser dans le sens des bandes.

Prendre le rectangle uni. Le poser endroit contre endroit sur le rectangle imprimé et bord à bord.

Epingler et bâtir le pourtour en laissant une ouverture de 5cm sur un côté.

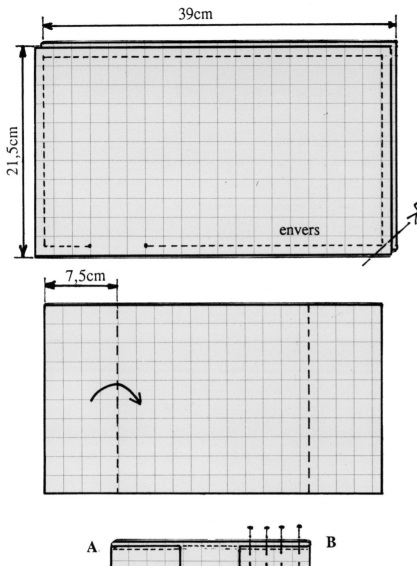

39cm

21,5cm

envers

7,5cm

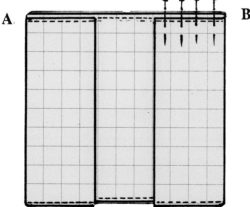

A   B

- Piquer à la machine à 1cm du bord sur le périmètre des rectangles.

- Laisser libre l'ouverture.

- Couper les 4 triangles pour éviter les surépaisseurs.

Retourner les tissus sur l'endroit. Fermer par des points glissés l'ouverture. Repasser.

- Replier selon le croquis les 2 rabats qui maintiendront en place le chéquier.

Epingler.

- Surpiquer très près du bord de A vers B.
- Procéder de même sur le côté opposé.

Plier en deux la pochette. Repasser.

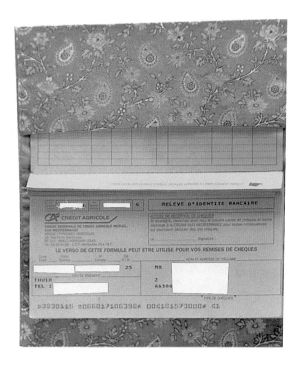

LE CARTON A DESSINS

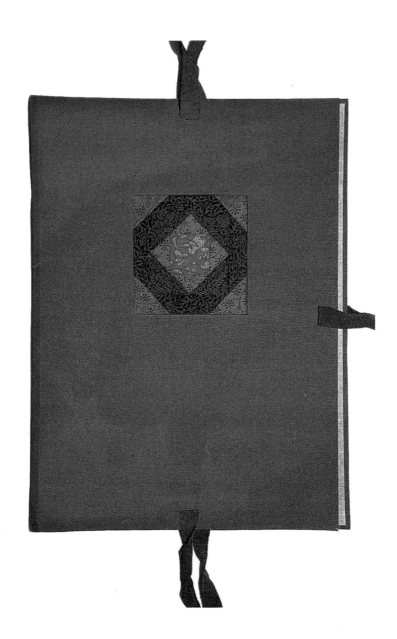

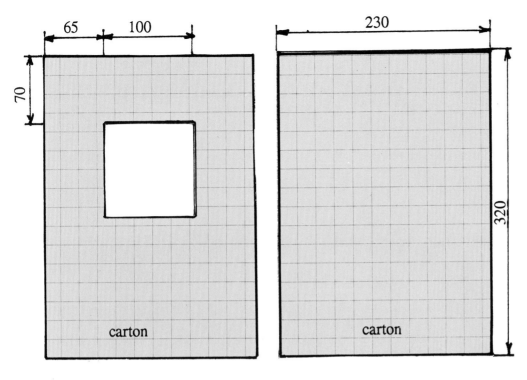

- Tracer avec précision deux rectangles de 320mm x 230mm, sur un carton de 2mm d'épaisseur.
- Les couper au cutter en s'aidant d'une règle métallique.

- Evider un seul carton d'un carré de 100mm de côté.
Cette fenêtre servira d'encadrement au carré de patchwork de 11cm de côté.

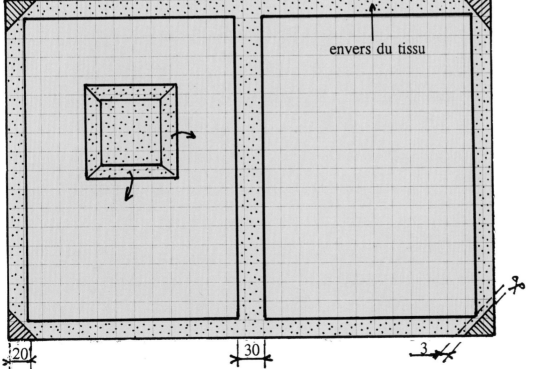

envers du tissu

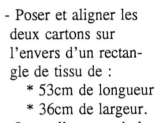

- Poser et aligner les deux cartons sur l'envers d'un rectangle de tissu de :
  * 53cm de longueur
  * 36cm de largeur.
- Les coller avec de la colle vinylique blanche (colle à bois).
Utiliser un pinceau plat de 20mm de large.
- Tracer et découper à l'intérieur de la fenêtre une marge de 10mm.
- Cranter les 4 angles droits afin de rabattre les marges intérieures sur le carton.

Après avoir encollé les 2 cartons sur l'envers du tissu et retourné son travail pour chasser les bulles d'air, lisser avec un chiffon propre la surface du tissu, du centre vers l'extérieur.

Rabattre le premier rembord de tissu contre le carton (mettre la colle sur le carton).

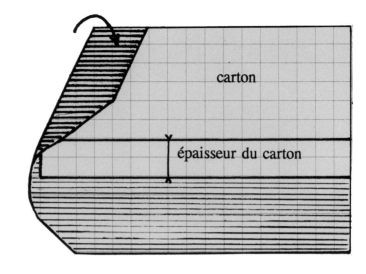

Avec la pointe de la paire de ciseaux, plaquer le petit excédent de tissu contre la tranche du carton.
Le maintenir avec de la colle.

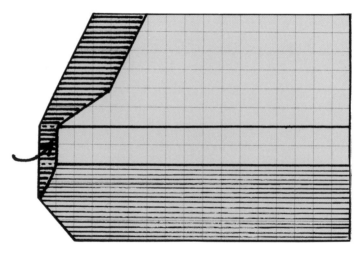

Relever et rabattre la deuxième réserve de tissu.
Ecraser et lisser la jonction des 2 réserves de tissu.

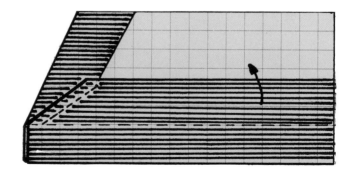

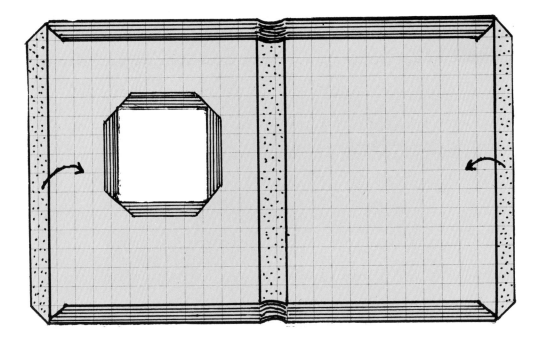

- Coller les marges de la fenêtre.

Lisser avec le pouce.

- Tracer avec précision dans les 4 coins droits à gainer un triangle rectangle sur le tissu, en laissant au coin du carton 3mm d'espace (voir croquis).

- Couper les triangles hachurés.

- Rabattre et coller le tissu qui déborde des 4 côtés. Dans les coins droits, les tissus rabattus doivent légèrement se chevaucher.

- Tracer et couper un rectangle de tissu pour la charnière de :

    31,5cm x 8cm.

- encoller cette charnière et bien l'appliquer contre l'épaisseur de chaque carton. Lisser.

- Encoller sur une largeur de 10mm le pourtour de la fenêtre. Y poser le carré de patch, l'envers vers soi.

- Préparer des fentes de 2cm de large sur les milieux des côtés des 2 cartons, à l'aide de ciseaux à frapper.

- Incruster et coller une extrémité du ruban.

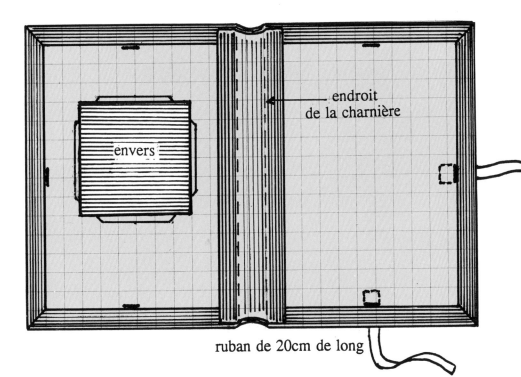

endroit
de la charnière

envers

ruban de 20cm de long

165

envers du tissu

15

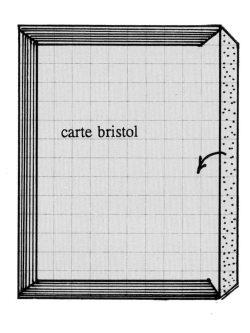

carte bristol

- Tracer et couper sur une feuille de Bristol deux rectangles de 315mm x 225mm.
- Encoller chaque carte Bristol sur un rectangle de tissu de 34,5cm x 25,5cm.
- Préparer les coins à remborder comme précédemment : ne laisser qu'1mm d'espace entre le coin de la carte et le triangle hachuré.
- Rabattre et coller les 4 réserves de tissu sur la carte.

- Habiller l'intérieur du carton à dessins avec les cartes Bristol gainées de tissu, après les avoir encollées.
- Mettre sous presse sous de très gros dictionnaires et laisser sécher quelques heures.

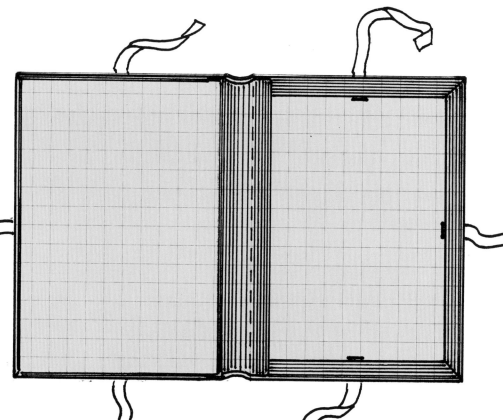

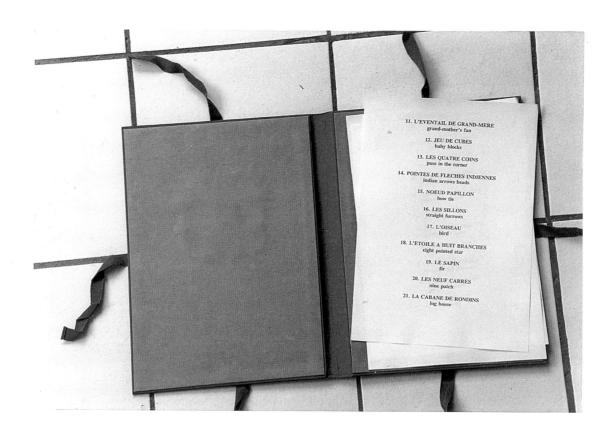

11. L'EVENTAIL DE GRAND-MERE
grand-mother's fan

12. JEU DE CUBES
baby blocks

13. LES QUATRE COINS
puss in the corner

14. POINTES DE FLECHES INDIENNES
indian arrows heads

15. NOEUD PAPILLON
bow tie

16. LES SILLONS
straight furrows

17. L'OISEAU
bird

18. L'ETOILE A HUIT BRANCHES
eight pointed star

19. LE SAPIN
fir

20. LES NEUF CARRES
nine patch

21. LA CABANE DE RONDINS
log house

CARRÉ DE "PATCH"
dissimulant un accroc sur un vêtement

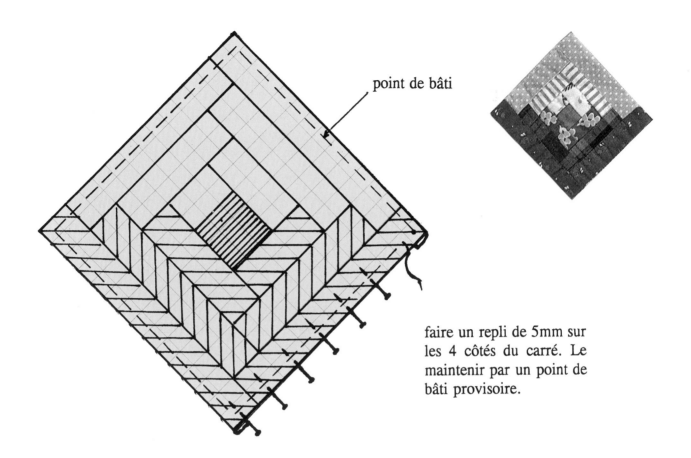

point de bâti

faire un repli de 5mm sur les 4 côtés du carré. Le maintenir par un point de bâti provisoire.

Centrer le carré de patch sur l'emplacement choisi du vêtement. Epingler soigneusement.
Fixer ce carré décoratif par des petits points glissés.
Coudre en utilisant des fils de couleur correspondants aux couleurs des bandes extérieures du patch.

LE JETÉ DE TABLE

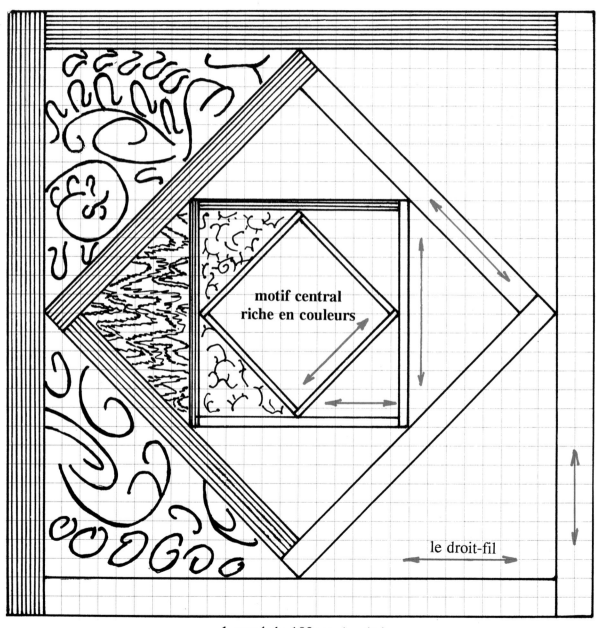

motif central
riche en couleurs

le droit-fil

1 carré de 102cm de côté

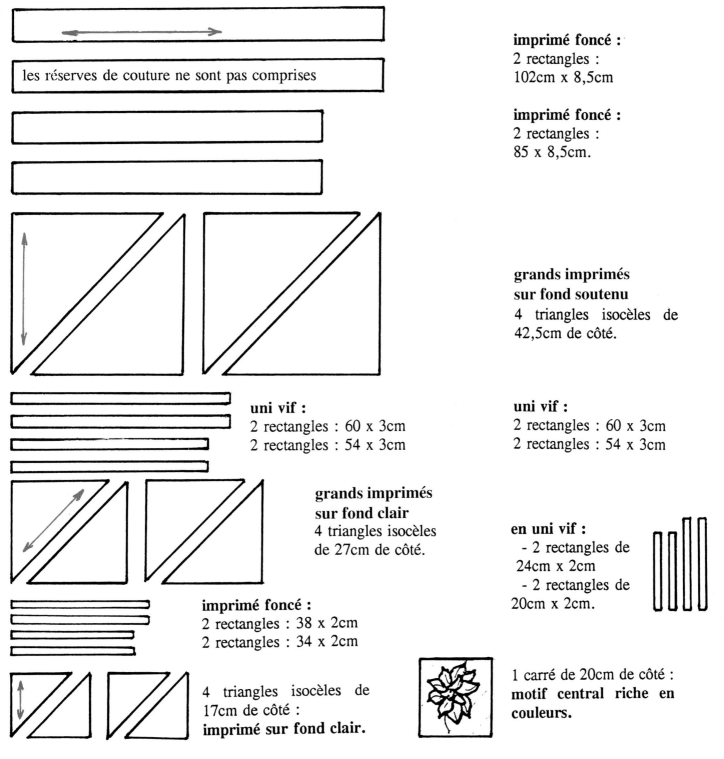

les réserves de couture ne sont pas comprises

imprimé foncé :
2 rectangles :
102cm x 8,5cm

imprimé foncé :
2 rectangles :
85 x 8,5cm.

**grands imprimés
sur fond soutenu**
4 triangles isocèles de
42,5cm de côté.

uni vif :
2 rectangles : 60 x 3cm
2 rectangles : 54 x 3cm

uni vif :
2 rectangles : 60 x 3cm
2 rectangles : 54 x 3cm

**grands imprimés
sur fond clair**
4 triangles isocèles
de 27cm de côté.

en uni vif :
- 2 rectangles de
24cm x 2cm
- 2 rectangles de
20cm x 2cm.

imprimé foncé :
2 rectangles : 38 x 2cm
2 rectangles : 34 x 2cm

4 triangles isocèles de
17cm de côté :
imprimé sur fond clair.

1 carré de 20cm de côté :
**motif central riche en
couleurs.**

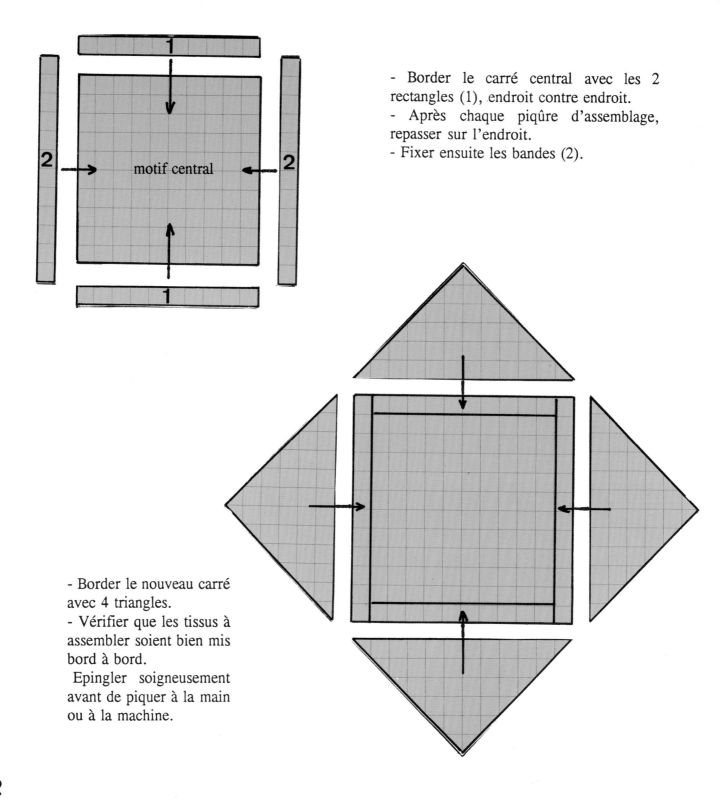

- Border le carré central avec les 2 rectangles (1), endroit contre endroit.
- Après chaque piqûre d'assemblage, repasser sur l'endroit.
- Fixer ensuite les bandes (2).

- Border le nouveau carré avec 4 triangles.
- Vérifier que les tissus à assembler soient bien mis bord à bord.
 Epingler soigneusement avant de piquer à la main ou à la machine.

- Agrandir le centre du jeté avec la pose des bandes (1) suivies des bandes (2).
Ce grand carré est ensuite bordé par 4 triangles isocèles.
- Poursuivre cet assemblage de la même manière, avec la nouvelle série de bandes puis de très grands triangles. Finir avec les larges bandes.
- Couper une doublure de coton de la taille du jeté.
Superposer la doublure et le jeté, envers contre envers. Piquer les 4 côtés à 1cm du bord.
- Poser sur tout le périmètre un bord droit foncé ; le piquer à la machine endroit contre endroit et le rabattre à la main sur la doublure.
- surpiquer avec un fil invisible (nylon) le dessus du jeté au niveau des bandes.

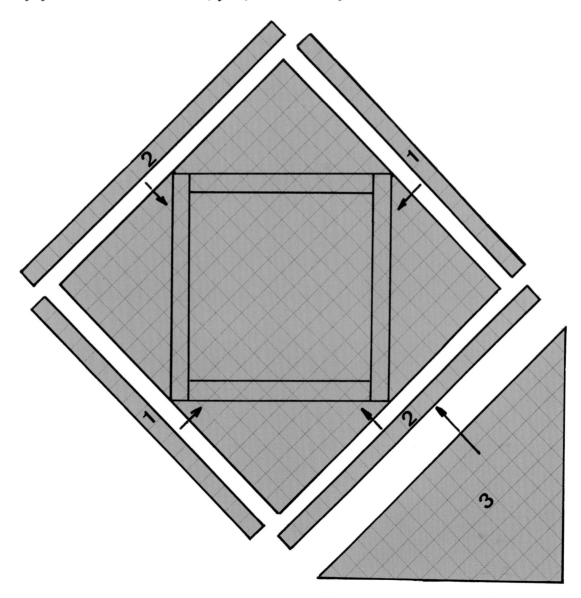

LE TAPIS DE DÉCOUVERTE

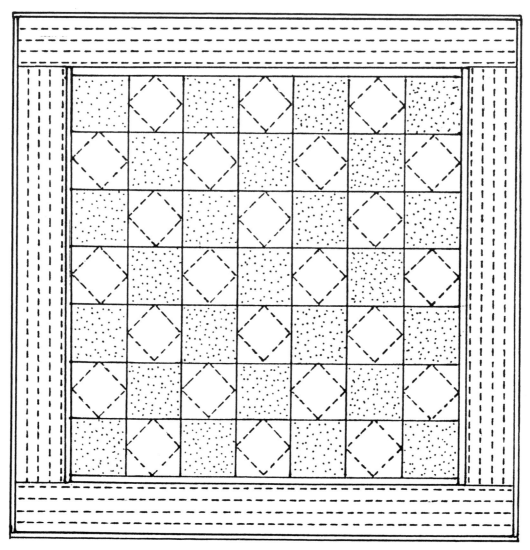

97cm X 97cm

Avec des chutes de tissu d'impressions vives, réaliser 25 motifs traditionnels de patchwork choisis dans le "calendrier de l'Avent" et les "cartes de vœux".

Ne pas oublier d'inscrire dans un carré de patch, le prénom de l'enfant auquel est destiné ce tapis.
L'enfant identifiera avec joie, son nom, les objets et les couleurs dévoilées sous chaque volet.

Chaque motif est carré et a 11cm de côté.
Les coutures sont comprises.

Autre matériel :

   - 24 carrés de tissu imprimé clair de 11cm de côté. Ce sont les carrés intermédiaires entre les patches.
   - 2 rectangles de tissu uni vif de 3cm de large par 71cm de long.
   - 2 rectangles de tissu uni vif de 3cm de large par 75cm de long. Ce sont les 4 bandes étroites d'encadrement.
   - 2 bandes d'imprimé clair de 10,5cm de large par 75cm de long.
   - 2 bandes d'imprimé clair de 10,5cm de large par 95cm de long. Ce sont les 4 larges bandes de bordures.
   - 2 rectangles de tissu uni vif de 3cm de large par 97cm de long.
   - 2 rectangles de tissu uni vif de 3cm de large par 97cm de long. Ces 4 dernières bandes de finition sont montées comme un biais à cheval : elles sont cousues endroit contre endroit et rabattues sur l'envers par des points glissés.
   - 25 rectangles en tissu imprimé vif de 11cm de large par 12cm de hauteur.
   - 25 rectangles en tissu uni vif de 11cm de large par 12cm de hauteur.
   - 1 carré d'imprimé à petits motifs d'1 mètre de côté pour la doublure.

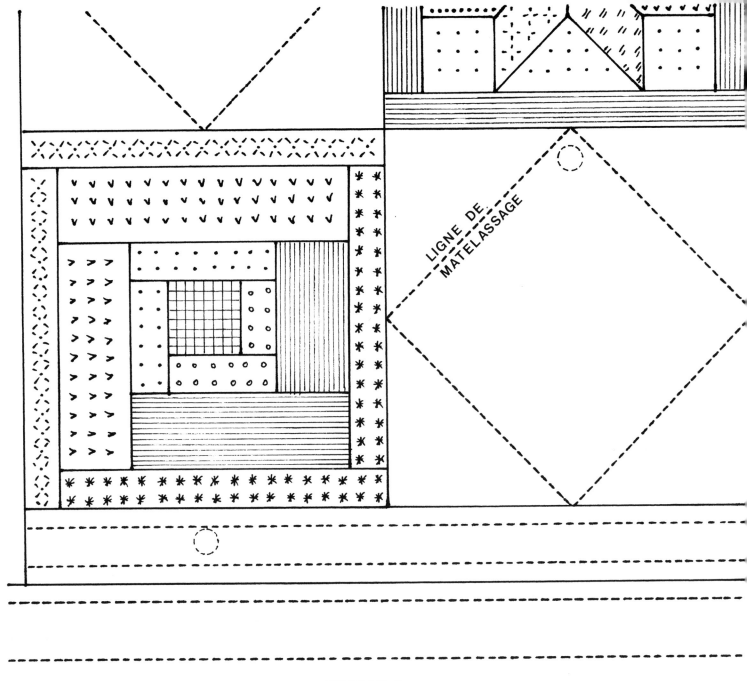

LIGNE DE MATELASSAGE

ECHELLE : 1

Pour la réalisation des volets, utiliser la fiche technique de montage vue dans le "calendrier de l'Avent".

L'extérieur du volet est en tissu imprimé.

L'intérieur du volet est en tissu uni.

Dans des rubans de type Velcro, couper 25 disques de 1cm de diamètre environ ; dédoubler ces pastilles.

Poser une pastille auto-agrippante au bas du volet retourné et son double au bas du patchwork (voir croquis).

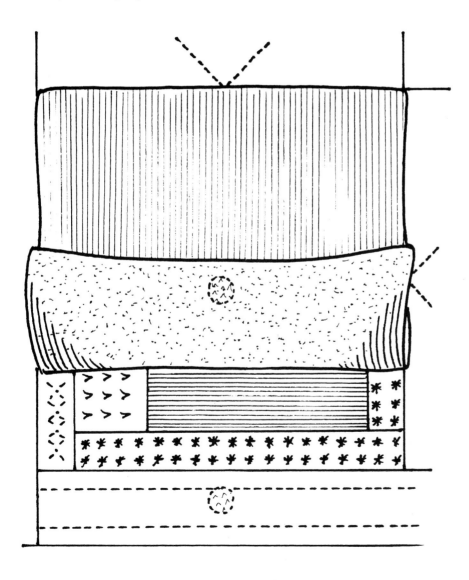

Fixer ces 2 pastilles à petits points de côté.

Par simple pression du doigt, l'enfant fermera le volet en superposant les deux pastilles, l'une munie de petits crochets et l'autre en "velours".

	100 Blanc			120 Gris
	105 Écru			140 Gris bleu
	319 Vanille			786 Bleu pastel
	802 Vert			695 Bleu moyen
	890 Vert foncé			731 Bleu marine
	556 Rose			310 Écru plus foncé
	592 Rose foncé			306 Beige
	535 Rouge			207 Brun
	600 Vieux rose			200 Brun plus foncé
	605 Violet			180 Noir

DMC
Quilt
200m - 216y.

Gamme de tissus, d'accessoires et de fils à quilter distribués dans les magasins *Imagine.*